D0278174

MADAME WENHAM

Patrick Senécal

MADAME WENHAM

Roman d'épouvante

LES ÉDITIONS DE LA BAGNOLE
Collection **GAZOLINE**

Catalogage avant publication de Bibliothèque et Archives nationales du Québec et Bibliothèque et Archives Canada

Senécal, Patrick
Madame Wenham
(Collection Gazoline)
Pour les jeunes de 9 ans et plus.
ISBN 978-2-89714-021-2
I. Titre. II. Collection: Collection Gazoline.
PS8587.E544M32 2012 jC843'.54 C2012-940743-7
PS9587.E544M32 2012

Conception graphique et mise en pages: Folio infographie
Révision: Michel Therrien
Maquette de la couverture: Andrée Lauzon

ISBN 978-2-89714-021-2

Dépôt légal: 2e trimestre 2012
Bibliothèque et Archives nationales du Québec
Bibliothèque et Archives Canada

GROUPE VILLE-MARIE LITTÉRATURE
Vice-président à l'édition
Martin Balthazar

ÉDITIONS DE LA BAGNOLE
Éditrice et directrice littéraire
Jennifer Tremblay

LES ÉDITIONS DE LA BAGNOLE
Groupe Ville-Marie Littérature inc.
Une compagnie de Quebecor Media
1010, rue de la Gauchetière Est
Montréal (Québec) H2L 2N5
Tél.: 514 523-1182 • Téléc.: 514 282-7530
vml@sogides.com
leseditionsdelabagnole.com

Nous reconnaissons l'aide financière du gouvernement du Canada par l'entremise du Fonds du livre du Canada (FLC) pour nos activités d'édition.
Nous remercions le Conseil des Arts du Canada de l'aide accordée à notre programme de publication.
Les Éditions de la Bagnole bénéficient du soutien financier de la Société de développement des entreprises culturelles du Québec (SODEC) pour leur programme d'édition.
Gouvernement du Québec – Programme de crédit d'impôt pour l'édition de livres – Gestion SODEC

À Benjamin,
mon filleul qui grandit si bien

Je tiens à remercier mon collègue Joël Champetier pour ses éclaircissements d'ordre médical, mon amour Sophie pour son soutien, et mes deux allumeurs d'espoir, Nathan et Romy, parce qu'ils existent.

Chapitre 1

Visite chez le dentiste

— Plus haut, plus haut! crie Nat, le sourire fendu jusqu'aux oreilles.

Rom, Willy et Aria ne se font pas prier et redoublent d'ardeur[1] dans leurs sauts. Comme l'été a plutôt été moche et qu'il a beaucoup plu, le trampoline a peu servi durant les vacances estivales. Mais en cette fin d'octobre, le soleil semble vouloir se faire pardonner de sa si longue absence. Résultat: jamais le trampoline de Nat et Rom n'a été aussi populaire qu'au cours de ces derniers jours. Les quatre enfants s'en donnent à cœur joie, sautent avec enthousiasme et gloussent de bonheur, tandis que Papa Pat et Mère Sof, sur le patio, discutent avec Linda, la maman d'Aria.

— Encore plus haut!

— C'est assez haut, là, je pense! dit Rom avec un soupçon d'inquiétude dans la voix.

---

1. Enthousiasme, énergie.

— Non, plus haut encore ! réplique Willy qui, avec sa petite taille, donne littéralement l'impression de voler.

— Oui, oui, oui ! approuve Aria. Encore pl...

Mais sa phrase est interrompue par l'épaule de Willy qui percute sa bouche. Aria tombe sur les fesses et se met à pleurer. Les adultes s'approchent, avec Papa Pat en tête qui n'a pas l'air content.

— Combien de fois j'ai dit qu'on ne pouvait être que trois à la fois sur le trampoline ? Quatre, c'est trop !

Les enfants descendent du trampoline et Linda examine sa fille qui pleurniche déjà moins.

— On ne se rappelait plus qu'on pouvait juste être trois, bredouille Nat.

— Tu viens d'avoir dix ans et tu oublies des règles aussi simples ? Voyons, Nat !

— Moi, j'ai juste huit ans, c'est normal que j'oublie ! se défend Rom.

Son père lui décoche un regard qui, clairement, veut dire : « Tu veux rire de moi, ou quoi ? » Mère Sof s'approche de Linda.

— Elle va bien ?

— Elle a une dent qui branle un peu.

— Bah, c'est pas grand-chose ! fait Rom d'un air vaguement hautain[2]. Il y a un an et demi, quand Nat

---

2. Fier, méprisant.

et moi on a combattu le bonhomme Sept-Heures[3], il nous est arrivé bien pire que ça !

— C'est vrai, approuve Nat. Moi, j'ai été enfermé dans une cage pendant presque quatre mois et Rom a failli être étranglée ! Alors une dent qui branle, y a rien là !

Linda pince les lèvres, agacée. Mère Sof intervient avec sévérité :

— Ça suffit, les enfants, tout le monde sait ce qui vous est arrivé.

— Je comprends ! s'emballe Willy, admiratif. Ils sont même passés à la télévision ! C'est *cool* !

Nat et Rom sourient avec fierté. Mais Papa Pat intervient à son tour :

— C'est pas une raison pour ridiculiser ceux qui se font mal !

Nat et Rom cessent de sourire, piteux[4]. Rom demande à Linda :

— Elle branle beaucoup, sa dent ?

— Va falloir aller montrer ça à un dentiste.

— Pas la dentiste Fay ! pleurniche Aria. S'il te plaît, maman, pas la dentiste Fay !

Et elle serre sa mère de toutes ses forces.

— La dentiste Fay ? s'interroge Papa Pat.

---

3. Voir *Sept comme Setteur*, le premier roman de Patrick Senécal publié aux Éditions de la Bagnole.
4. Tristes, penauds.

— C'est une nouvelle dentiste dans la région, elle est arrivée il y a quelques semaines, explique Linda.

— Elle a arraché toutes les dents de mon frère ! ajoute Aria sans lâcher sa mère.

— Toutes ? s'écrie Willy en ouvrant de grands yeux.

Nat et Rom dressent soudain l'oreille, intéressés. Linda tempère un peu les choses.

— Mais non, pas toutes, Aria exagère, comme toujours… C'est juste que la semaine passée, j'ai amené Max chez cette dentiste, pour deux plombages, et finalement elle a décidé de lui arracher les deux dents. Elle m'a assuré qu'il n'y avait pas d'autre solution.

— Elle lui a arraché les deux dents ? s'étonne Mère Sof. C'est un peu draconien[5], non ?

— Je sais, approuve Linda. Et j'ai parlé à deux autres parents qui étaient allés voir cette dentiste Fay et ils m'ont dit qu'elle avait fait la même chose à leurs enfants. Mettons que je ne retournerai pas la consulter…

— J'ai l'impression qu'elle va se faire une mauvaise réputation, prédit Papa Pat.

Nat et Rom se regardent d'un air entendu, comme s'ils avaient compris un détail que personne d'autre n'aurait saisi.

---

5. Dur, sévère.

— Allez ! lance Mère Sof. Une collation pour tout le monde, ça va faire oublier ce malheureux incident, hein, ma belle Aria ?

Le petite, qui ne pleure plus du tout, approuve en claquant dans les mains, de même que Willy qui lance un « Yes ! » enthousiaste. Tout le monde marche vers la porte-patio, sauf Nat et Rom qui demeurent à l'écart et discutent à voix basse.

— Tu-tu-tu-tu penses à ce que je-je-je...

— Doucement, Nat, fait Rom. Mets du vent dans ta voix.

Quand Nat est énervé, il bégaie. Il se calme donc, inspire profondément puis reprend plus lentement :

— Tu penses à ce que je pense ?

— Mets-en ! Je suis sûre que c'est la fée des dents !

Rom hoche la tête. Il y a un an et demi, quand elle et Nat avaient combattu le bonhomme Setteur, ils avaient réussi à enlever le pendentif maléfique autour du cou du père Noël et du lapin de Pâques, mais pas à la fée des dents, qui s'était enfuie[6]. Elle est donc toujours habitée par une force malsaine[7]. Depuis, on n'a aucune nouvelle d'elle. D'ailleurs, tous les enfants du Québec se plaignent de ne plus avoir de surprise lorsqu'ils déposent leur dent de lait sous l'oreiller. Le premier ministre a même offert

6. Voir *Sept comme Setteur.*

7. Dangereuse.

une récompense à celui qui non seulement retrouvera la fée des dents mais lui enlèvera son pendentif maudit. De leur côté, Nat et Rom se doutaient bien que, durant tout ce temps, elle préparait une contre-attaque.

—Elle se fait passer pour une dentiste pour pouvoir arracher les dents des enfants sans attirer de soupçons ! chuchote Nat à sa sœur.

—Elle doit leur extraire des dents qui ne sont même pas cariées ! ajoute Rom.

—Il faut faire quelque chose !

Le frère et la sœur se regardent intensément puis sourient avec complicité.

—Nat ? Rom ? Vous venez manger une galette ?

C'est leur père qui appelle. Les deux enfants s'empressent de rentrer dans la maison.

* * *

Le lendemain, à seize heures trente, Nat et Rom traversent le boulevard Laurin à vélo et roulent sur le trottoir. Derrière son frère, Rom lance :

—On n'a pas le droit de traverser ce boulevard, Nat ! Il y a trop de circulation !

Et comme pour appuyer ses dires, un camion passe tout près d'eux à toute vitesse, au point que Rom pousse un petit cri d'effroi[8]. Sur le camion qui

---

8. Peur.

s'éloigne, on peut lire l'inscription: « *Coutellerie Lelong: les meilleurs couteaux en ville!* »

— Tu vois! crie-t-elle à Nat. Ce vendeur de couteaux va beaucoup trop vite!

— On arrive, là, Rom!

Ils stoppent enfin devant un grand immeuble brun. Ils attachent leurs vélos autour d'un tuyau contre le mur de béton, puis Rom tourne la tête vers le boulevard Laurin d'un air désapprobateur[9].

— Si papa et maman savaient qu'on est venus ici, ils ne seraient vraiment pas contents!

Après leurs devoirs, ils ont fait croire à leurs parents qu'ils allaient jouer chez Fred. Rom déteste mentir à ses parents, alors Nat tente de la déculpabiliser:

— C'est pour une bonne cause, Rom!

— Je le sais, mais on aurait pu... On aurait pu prévenir les policiers, tiens! Depuis le temps qu'ils cherchent la fée des dents! C'est sûr qu'eux aussi auraient fait le lien, ils nous auraient cru et...

— Il y a un an et demi, on a combattu le bonhomme Setteur tout seuls! On va donc régler cette histoire nous-mêmes, une fois pour toutes! On n'a besoin de personne!

Il prend la main de sa sœur et ses yeux brillent d'assurance.

---

9. Qui exprime l'opposition, le désaccord.

— On est les meilleurs, la sœur.

Rom est finalement gagnée par la confiance de Nat.

— Tu as sûrement raison, le frère.

Au même moment, un piéton s'arrête devant eux, se met à les dévisager, intrigué, puis s'exclame :

— Hé ! Mais... Vous êtes les deux enfants qui ont exterminé le bonhomme Sept-Heures ! Je vous ai vus à la télévision, il y a quelques mois !

Il s'approche et félicite Nat et Rom qui rougissent de fierté. Ce n'est pas la première fois qu'ils se font reconnaître et féliciter ainsi par des inconnus. Même leurs amis les considèrent comme des héros. Les deux enfants doivent bien admettre que cette popularité n'est pas du tout désagréable. Ils remercient donc l'admirateur qui poursuit son chemin, tout heureux d'avoir rencontré ces deux jeunes vedettes. Nat et Rom sont ravis.

— Tu vois bien qu'on est les meilleurs ! lance Nat avec un clin d'œil.

Rom glousse de plaisir, puis ils entrent dans l'immeuble. Ils consultent le panneau informatif[10] accroché sur le mur et trouvent ce qu'ils cherchent :

Fay D. Dant, dentiste
2e étage

---

10. Qui donne des informations.

Ils montent au second et pénètrent dans une petite salle d'attente vide. Derrière son bureau, la secrétaire fait des mots croisés d'un air ennuyé. Les deux enfants s'approchent et Nat prend la parole.

— Bon-bon-bonjour, est-ce que-que-que...

Il se calme, prend une bonne respiration, puis :

— Est-ce que c'est possible d'avoir un rendez-vous de dernière minute ? Comme c'est l'Halloween dans deux jours, ma sœur et moi voulons nous faire examiner les dents pour être sûrs qu'elles résisteront à tous les bonbons que nous mangerons.

La secrétaire abandonne ses mots croisés, tout excitée à la vue de ces clients :

— Pas de problème ! Il nous reste de la place en masse ! Madame Dant est avec un patient en ce moment, mais tout de suite après, elle sera libre. Vous pouvez aller vous asseoir, ce ne sont pas les chaises libres qui manquent.

Et elle rit, fière de sa blague. Les deux enfants prennent place dans la salle vide.

— Elle n'a vraiment pas beaucoup de clients ! marmonne Nat.

— Pas étonnant ! Si tous les clients qui viennent ici se font toujours arracher des dents, ils ne sont sûrement pas pressés de revenir...

Tout à coup, un cri strident[11] retentit. Rom attrape la main de son frère et la serre avec force. La secrétaire poursuit ses mots croisés sans aucune réaction, comme si elle était habituée d'entendre de tels hurlements. Peu de temps après, un homme sort du cabinet, furieux, en tenant la main de son fils de sept ans qui pleure en massant sa joue tout enflée. L'homme se met à engueuler la secrétaire :

— Je venais pour un simple examen et elle lui a arraché trois dents ! Si je ne l'avais pas arrêtée, elle lui en aurait arraché une autre ! C'est scandaleux !

— Vous voulez payer en argent liquide ou par carte de crédit ? rétorque tout simplement la secrétaire, vaguement ennuyée.

— Ni l'un ni l'autre, je ne paie pas du tout ! Vous avez de la chance que ce ne soit que ses dents de bébé, sinon je poursuivrais votre patronne en justice !

Et, traînant son malheureux garçon, il sort précipitamment du bureau. Impressionnés, Nat et Rom ont assisté à la scène sans dire un mot. La secrétaire soupire et marmonne, comme si elle se parlait à elle-même :

— C'est chaque fois la même chose... Si ça continue comme ça, on n'aura plus aucun client...

Puis, affichant un sourire artificiel, elle se tourne vers les enfants :

---

11. Aigu.

— C'est à vous !

Et elle ajoute, incertaine :

— ... à moins que vous ayez changé d'avis.

— Non, pas du tout, répond Nat en se levant.

— Vous devez y aller un à la fois, explique la secrétaire.

Rom, indécise, observe son frère. Nat comprend qu'elle a peur et il soupire.

— D'accord, c'est moi qui vais y aller. Mais après tout ce qu'on a vécu avec le bonhomme Sept-Heures, je n'en reviens pas que tu aies encore peur.

— C'est pas parce qu'on a réussi une fois qu'on va réussir encore !

— Tu peux être sûr que *je* vais réussir ! T'as juste à attendre ici et tu vas voir que ce ne sera pas long.

Rom se sent coupable d'avoir si peur, mais elle n'y peut rien. D'un autre côté, la trop grande assurance de Nat inquiète la fillette. Elle dit :

— Si tu as besoin d'aide, tu m'appelles, d'accord ?

— D'accord, fait Nat en haussant les épaules.

Il se met en marche sous l'œil nerveux de sa sœur qui s'est assise et il franchit la porte.

La pièce ressemble à tous les cabinets de dentiste : chaise d'examen, plateaux recouverts d'instruments, murs blancs et affiches de différentes dentitions sur les murs. La dentiste Fay D. Dant, vêtue d'un sarrau blanc, lui tourne le dos et se lave les mains dans le lavabo. La voix naturelle, Nat annonce :

— Bonjour. Je viens pour un examen.

— Je suis à toi dans une seconde, fait la femme, toujours de dos. Tu peux t'asseoir sur la chaise.

Nat, sur le qui-vive[12], s'assoit tout en improvisant un plan d'attaque dans sa tête. La dentiste se retourne enfin : visage d'une grande beauté, longs cheveux blonds... Nat reconnaît aussitôt la fée des dents. Et surtout, il reconnaît ce bijou autour de son cou, ce pendentif en forme de **7** qui lui enlève sa vraie personnalité[13].

— Bonjour, mon grand. On va donc examiner tes dents pour s'assurer que tout est en ordre.

Même si elle sourit, elle a cet air absent et ces yeux bizarres que Nat a déjà vus : l'expression de ceux qui sont sous l'emprise du **7** maléfique. Le garçon n'éprouve aucune peur et arrête son plan : quand la fée se penchera pour l'examiner, il saisira le collier et tirera dessus de toutes ses forces pour casser la chaîne. Voilà, ce ne sera pas plus difficile que ça. Comme toujours, Rom a eu peur inutilement. Nat, lui, n'a peur de rien ! Emmenez-en, des bonhommes Sept-Heures, des fées des dents envoûtées ou d'autres dangers de toutes sortes ! Il n'en fera qu'une bouchée !

La fée des dents appuie alors sur un bouton sur le comptoir et Nat sent aussitôt ses deux avant-bras se serrer avec force : deux bracelets de métal ont

---

12. Sur ses gardes.

13. Voir *Sept comme Setteur.*

surgi des accoudoirs du fauteuil et emprisonnent les bras du garçon stupéfait. La fée des dents avance vers lui en souriant méchamment.

— Tu pensais que je ne t'avais pas reconnu ? grogne-t-elle. Tu penses que j'ai oublié le visage du morveux qui a fait disparaître mon maître ?

Nat essaie de libérer ses bras des étaux, mais rien à faire : les bracelets le tiennent bel et bien attaché sur la chaise. À la vue de la fausse dentiste qui lève lentement une immense pince métallique, l'enfant est saisi par la peur et pousse des appels à l'aide désespérés. La fée se contente de dire d'une voix mécanique :

— Crie si tu veux, ma secrétaire est habituée d'entendre toutes sortes de hurlements...

Elle approche la pince des lèvres tremblotantes de Nat, qui pleure presque de terreur. Les yeux fous, la fée marmonne :

— Pas besoin de te geler les gencives pour t'arracher les dents... Tu vas tout sentir...

— Hé ! Fée des dents !

D'où vient cette voix de fillette ? La fausse dentiste se redresse et se retourne. Elle a tout juste le temps de voir Rom pousser de toutes ses forces la lampe d'examen suspendue qui, du bout de son support d'acier, effectue un long demi-cercle pour venir lui percuter brutalement le front. Sous l'impact, la fée en échappe sa pince et s'écroule sur le dos, faisant voler en tous sens les instruments.

— Bravo, Rom ! s'écrie Nat.

Rom se lance aussitôt vers la femme et, sans hésiter, lui arrache le collier du cou. La fée pousse un long cri strident et ferme les yeux, immobile, comme si elle s'était évanouie. Rom se relève puis lance le pendentif loin d'elle. Nat s'exclame :

— Le bouton, Rom ! Appuie sur le bouton sur le comptoir !

La fillette obéit. Aussitôt, les bras de Nat sont libérés et il s'éjecte de la chaise d'un bond. Il prend sa sœur par les épaules, triomphant.

— Tu vois que tu as été capable ? Je te l'avais dit !

— Quand même, Nat, on a été chanceux ! On aurait pu être...

— C'est pas de la chance, Rom ! On est forts ! Toi et moi, on forme une équipe invincible !

Rom réfléchit encore un moment, puis un sourire fier apparaît lentement sur ses lèvres.

— C'est vrai... Tu as raison.

À ce moment, la fée des dents se relève. Elle a une ecchymose sur le front. Elle est confuse, comme si elle se réveillait d'un long sommeil.

— Qu'est-ce que... qu'est-ce qui m'arrive ?

Son regard n'a plus cette étincelle de démence[14]. Au contraire, ses yeux sont doux et rassurants, quoique interrogateurs. Rom intervient la première :

---

14. Folie.

— On vous a sauvée, madame la fée !

— Sauvée ?

Au même moment, la secrétaire entre, blasée, et demande :

— Excusez-moi, madame Fay, mais je voulais savoir si je pouvais retourner chez moi.

La fée la dévisage comme s'il s'agissait d'une extraterrestre, puis elle bredouille :

— Mais... vous êtes qui, vous ? Et qu'est-ce que je fais déguisée en dentiste ?

Nat lui désigne le fauteuil :

— Assoyez-vous, on va tout vous expliquer.

Puis, il lance vers la secrétaire, de manière quelque peu autoritaire :

— Vous, allez appeler la police. Tout de suite.

— Et les journalistes, aussi, ajoute Rom en replaçant ses longs cheveux blonds d'un air coquet.

Chapitre 2
La nouvelle enseignante

Durant toute la soirée, la maison de Nat et Rom est envahie par les journalistes qui veulent connaître toute l'histoire. Le frère et la sœur, bombardés par les flashs des appareils photo, expliquent qu'ils ont compris que la nouvelle dentiste était en fait la fée des dents et qu'ils avaient décidé d'aller lui enlever son pendentif maléfique.

—Cela demande beaucoup de courage, non? demande une journaliste qui note toutes les paroles des deux enfants dans son calepin.

—C'est vrai, reconnaît Rom, mais nous n'en manquons pas.

—Et ça prend de l'intelligence, aussi, ajoute Nat.

Tout le monde approuve. À l'écart, Papa Pat et Mère Sof sont dépassés. Le chef de police, qui est présent, pose sa main droite sur l'épaule de Nat et sa gauche sur celle de Rom, et clame:

—Pour la seconde fois en dix-huit mois, Nat et Rom ont rendu un fier service à la communauté! Grâce à eux, la fée des dents recommencera à apporter des surprises aux petits qui perdent leurs dents. Ces deux enfants sont de vrais héros et devraient servir de modèles à tous !

Les journalistes applaudissent. Nat et Rom saluent de la main, rayonnant d'importance. Un journaliste s'adresse à Papa Pat :

— Et vous, monsieur Pat, qui êtes un romancier connu écrivant des histoires d'horreur... Êtes-vous fier que vos enfants deviennent populaires à leur tour ?

Papa Pat, pris au dépourvu[1], ne sait trop que dire :

— Heu... Oui, bien sûr, mais... heu...

— Et vous, madame Sof, demande un autre journaliste. Vous faites quoi dans la vie ?

— Je suis psychologue, et mon avis professionnel autant que maternel est que mes enfants ont vécu de grandes émotions aujourd'hui et qu'ils doivent donc maintenant se reposer car, il ne faut pas l'oublier, ils ont de l'école demain.

Mère Sof lance cette phrase avec aplomb et tous les journalistes se taisent, impressionnés. Nat décide avec nonchalance :

— C'est pas grave, m'man. On a juste à ne pas aller à l'école demain...

— Pas question ! coupe sa mère. Allez, bonsoir tout le monde.

---

1. À l'improviste, sans y être préparé.

Papa Pat se contente d'approuver en silence, quelque peu dépassé. Les journalistes, déçus, prennent tout de même quelques dernières photos. Rom affecte[2] des poses d'actrice, ce qui fait rire tout le monde, puis la maison se vide enfin. Mère Sof ferme la porte en soupirant. Les deux enfants se laissent tomber sur le sofa avec satisfaction.

—Demain, on va être dans tous les journaux et à la télé ! fait Rom. Comme l'année passée !

—On s'en vient vraiment connus ! ajoute Nat. C'est *cool*, hein, p'pa et m'man ?

—Vous êtes allés chez le dentiste en vélo, sans nous le dire ?

Mère Sof ne semble pas trouver ça *cool* du tout. Ses deux enfants ne trouvent rien à dire. Leur mère ajoute :

—Vous êtes allés affronter cette femme sans en parler à personne ? Sans demander d'aide ?

—On n'en avait pas besoin ! rétorque Nat. On a réussi à battre le Bonhomme Sept-Heures tout seuls, t'as oublié ?

—Et alors ? Ça aurait pu ne pas fonctionner, cette fois ! Je suis sûre que votre père est d'accord avec moi !

Papa Pat se racle la gorge. Il semble s'être remis les idées en place et s'approche du sofa où sont assis les héros du jour.

---

2. Affiche, montre.

— Maman a raison, les enfants. Agir seuls, c'était vraiment dangereux. Je suis sûr qu'à un moment, vous avez eu peur et…

— Non, j'ai pas eu peur ! coupe Nat.

— Oui, t'as eu peur ! fait Rom. T'as appelé à l'aide, et je suis arrivée à ce moment-là !

Nat rougit, embêté, puis se met à bégayer :

— J'a-j'a-j'a… j'avais pas peur, je voulais juste a-a-a…

Mère Sof, maintenant plus calme, se penche vers lui et explique doucement :

— Nat, ce n'est pas grave d'avoir peur. C'est même normal.

Elle prend aussi la main de Rom et s'adresse à ses deux enfants :

— Comme c'est normal de demander de l'aide. Il ne faut pas croire qu'on peut toujours tout faire tout seul. Si vous aviez appelé la police, ou si vous nous en aviez parlé, vous auriez aussi réussi, mais sans danger.

Les deux enfants ne sont pas convaincus. Rom dit :

— Peut-être, mais on n'aurait pas eu tout le mérite juste pour nous deux.

Nat approuve de la tête le plus sérieusement du monde. À l'écart, Papa Pat ne peut s'empêcher de pousser un petit rire amusé, mais il se tait aussitôt en voyant le regard réprobateur[3] que lui lance sa

3. Qui exprime le blâme, le reproche.

femme. Il comprend qu'elle lui demande de l'appui et il claque dans ses mains en annonçant :

—Bon ! Là, vous êtes trop dans votre nuage de gloire pour réfléchir intelligemment. Demain, vous allez revenir sur terre et vous rendre compte qu'on a raison. Allez, brossage de dents, pipi et dodo, on monte vous rejoindre dans deux minutes.

Le frère et la sœur soupirent mais obéissent.

* * *

Le lendemain matin, dans la cour d'école, Nat et Rom sont littéralement pris d'assaut par tous les élèves qui les entourent, les admirent, leur posent des questions sur leurs exploits de la veille. Les deux héros répondent aux questions, avec une certaine suffisance[4], et signent même quelques autographes.

La cloche sonne et tandis que Rom marche vers son local, elle se demande si madame Laura, son enseignante, la félicitera devant toute la classe. Ce serait vraiment génial. À ses côtés, son amie Anne-Lo lui demande :

—Hé, Rom, on court l'Halloween ensemble demain, hein ?

—Bien sûr... Mais on ne sera pas seules. Tu comprends, il y a plein de monde qui veut être avec moi...

---

4. Prétention.

— Oui, oui, je comprends. On va être plusieurs, ça va être *cool* !

En entrant dans la classe, une surprise attend les élèves : madame Laura n'est pas là. À la place se tient une petite femme d'une cinquantaine d'années, vêtue d'un tailleur gris, ses cheveux roux remontés en chignon. Elle observe les garçons et les filles entrer, silencieuse, les mains croisées devant elle. Les enfants la saluent discrètement et la dame se contente chaque fois de hocher sèchement la tête. Rom est déçue à l'idée que sa professeure ne sera pas présente. En fait, tout le monde aime tellement madame Laura que la fillette est convaincue que personne dans la classe n'est content d'avoir une remplaçante aujourd'hui.

Quand tous sont installés, l'inconnue se met en mouvement. Elle va au petit miroir accroché sur le mur près du bureau, se regarde dans la glace en replaçant son chignon, puis effectue quelques pas vers le milieu de la pièce. Une paire de lunettes est accrochée à un cordon autour de son cou, mais elle ne les enfile pas pour examiner la classe. Ses petits yeux bleus sont si intenses qu'aucun enfant n'ose parler. Elle prend une grande inspiration, puis annonce, sans préambule :

— Madame Laura a eu un accident d'auto. Elle est morte.

Tous les enfants poussent une exclamation horrifiée et Rom sent son corps devenir flasque[5] : pas madame Laura, ce n'est pas possible, Rom l'aimait tant ! Mais la femme devant la classe éclate d'un rire sec et étrange, comme s'il était mécanique, qui ne dure que deux secondes.

— Mais non, elle n'est pas morte. C'était une blague.

Les enfants la dévisagent, ahuris, partagés entre le soulagement et l'incompréhension. La femme explique :

— Elle a eu un accident de voiture, certes, mais elle est seulement blessée. Sa vie n'est pas en danger, mais elle devra rester à l'hôpital quelques semaines et prendre plusieurs mois de congé. Je vais donc la remplacer jusqu'à la fin de l'année. Mon nom est madame Justine Wenham.

Elle va au tableau et écrit son nom en grandes lettres pointues. Rom remarque d'ailleurs que tout est pointu chez elle : ses sourcils, son nez, son menton, et même ses souliers. La nouvelle professeure se retourne vers la classe et poursuit :

— Je vous préviens tout de suite que nous allons travailler fort, très fort. L'école n'est pas une place pour s'amuser mais pour apprendre. Cependant, je

5. Mou.

sais qu'une bonne blague permet certes de bien commencer la journée et peut donner du courage pour affronter le travail. C'est pourquoi je raconterai une blague au début de chaque journée. Et si vous avez bien travaillé, je ferai aussi un peu d'humour juste avant la fin des cours. C'est pour cette raison que je vous ai fait croire tout à l'heure que madame Laura était morte. C'était la blague du début de la journée.

Tous les enfants se regardent, dubitatifs[6] : c'est ça qu'elle appelle une blague ? Madame Wenham poursuit :

— Maintenant, je veux que vous vous présentiez un par un. Et ne craignez rien : je vais retenir chacun de vos noms du premier coup. J'ai une mémoire phénoménale.

Elle avance la tête en plissant les yeux :

— J'espère que vous aussi, car cela vous sera bien utile pour vos prochains examens.

Un à un, les élèves déclinent leur nom. Quand arrive le tour de Rom, elle se présente avec fierté – sans doute que madame Wenham dira quelque chose du genre : « Ah ! C'est toi, la petite fille qu'on voit toujours dans les journaux et à la télé ! » Mais en entendant le nom de Rom, l'enseignante n'a comme réaction que ces trois mots :

— Très bien. Suivant.

---

6. Méfiants.

Rom est déçue. Cette femme ne lit donc pas les journaux ? La fillette croise les bras sur son bureau et fait la moue.

Quand tout le monde s'est présenté, madame Wenham se met en marche entre les bureaux et, en fixant le sol, explique :

— Bon. Voici comment je procède. Chaque mois, il y aura un examen global qui couvrira toute la matière. Mais il y aura plus. Chaque jour, l'un d'entre vous devra passer un test oral devant tout le monde. Je lui poserai des questions sur la matière que nous aurons vue durant la journée d'avant. Par exemple, demain, l'un d'entre vous devra répondre à des questions sur la matière apprise aujourd'hui. Vous avez compris le principe ?

Elle redresse la tête, attendant les questions. L'une des fillettes, Shana, lève une main timide.

— Oui, Shana ?

Rom ouvre des yeux impressionnés. Madame Wenham se rappelle déjà son nom ? Effectivement, elle a une mémoire impressionnante. Shana demande :

— Et ce test oral qu'on va passer, est-ce que ça compte pour le bulletin ?

— Certes, répond l'enseignante en croisant ses mains dans son dos. Une ou plusieurs mauvaises réponses auront des conséquences sur le bulletin de l'élève... Mais ne pensez pas qu'à votre bulletin, pensez aussi à votre vie.

— Notre vie ? s'étonne Shana.

Toujours les mains dans le dos, madame Wenham ratisse sa classe d'un œil sévère :

— Vous devez comprendre à quel point l'école est importante. Très importante. Ce que vous apprenez ou n'apprenez pas aura toujours un impact sur vous. Les erreurs que vous faites sont graves et peuvent vous suivre toute votre vie. Mon rôle est donc de faire de vous des élèves qui ne se trompent jamais.

Elle avance la tête et répète :

— Jamais !

Le silence est total dans la classe. Rom n'en revient tout simplement pas. Elle exagère un peu, cette madame Wenham, non ? L'enseignante retourne vers l'avant de la classe et annonce :

— Bon. Pour commencer, je vais vous livrer quelques informations sur la date d'aujourd'hui. Je vous donnerai ce genre d'informations au début de chaque journée.

Elle ouvre un grand livre sur son bureau et consulte une page à l'aide de son long index orné d'une bague en forme d'étoile. Puis elle explique :

— Aujourd'hui, 30 octobre. C'est le huitième jour du Scorpion dans l'horoscope. Les saints du jour sont Alexandre, Dragoutine, Gemain et Hélène. Le 30 octobre 2002, c'était la fin du gouvernement national en Israël. Le 30 octobre 1983 avaient lieu les premières élections en Argentine depuis dix ans.

Rom reluque vers le livre dans lequel madame Wenham trouve toutes ces informations. Même de loin, la fillette parvient à lire le titre: *Calendrier encyclopédique*. Rom se dit qu'elle aimerait bien posséder un tel bouquin. Madame Wenham, tout en jetant quelques coups d'œil sur la page, poursuit:

—Et en boxe professionnelle, c'est le 30 octobre 1974 que Mohamed Ali est devenu champion du monde des poids lourds. Voilà, c'étaient les informations de la journée du 30 octobre.

Un garçon, perplexe[7], lève la main et demande:

—Heu... Est-ce qu'il fallait noter tout cela?

Madame Wenham pince les lèvres.

—Non. Ce sont des informations que je vous donne pour votre culture personnelle. Pour vous montrer qu'il est toujours intéressant d'apprendre des choses, même si cela n'est pas matière à examen.

Voilà qui rassure les élèves. Madame Wenham va au tableau et annonce:

—Sortez vos cahiers de français. On va apprendre les verbes être et avoir au futur simple.

Durant tout le reste de cette journée, madame Wenham ne laisse aucun répit à ses élèves: conjugaisons de verbes, opérations de mathématiques, lecture, écriture, univers social... En après-midi, quand le professeur d'anglais vient donner son cours, même

7. Embarrassé, hésitant.

les enfants qui ont toujours détesté cette matière ont l'impression de prendre enfin une pause. Mais après quarante trop courtes minutes, madame Wenham et les durs travaux sont de retour. Rom elle-même, qui pourtant aime l'école, trouve que la nouvelle enseignante y va un peu fort. Et puis, il faut dire que la fillette n'a pas tellement la tête au travail en ce moment : elle songe encore trop à sa popularité, à ses entrevues, à ses photos dans les journaux…

Cinq minutes avant la sonnerie de la cloche, madame Wenham se lève de son bureau et s'approche de ses élèves. Rom remarque qu'elle n'a pas mis ses lunettes de la journée. À quoi peuvent-elles bien servir, au juste ?

— Bon, notre première journée ensemble s'achève. Je suis plutôt contente, vous avez bien travaillé. Avouez que vous vous sentez fiers et heureux d'avoir appris tant de choses, n'est-ce pas ?

Les élèves se sentent surtout épuisés, mais ils n'osent pas le dire. L'enseignante, comme si elle se moquait qu'on lui réponde ou non, poursuit :

— Je vous conseille de tous bien étudier ce soir, car demain, l'un d'entre vous passera un test oral.

Rom ose lever la main :

— Pourquoi vous ne nous dites pas tout de suite ce sera qui ?

— Parce que dans la vraie vie, Rom, personne ne nous prévient quand une épreuve va arriver. Il faut toujours être prêt, il ne faut jamais se faire prendre en défaut.

Et elle répète à nouveau ce mot terrible :

— Jamais !

— Mais ça veut dire qu'il faut étudier tous les soirs comme des fous au cas où ce serait notre tour le lendemain ! insiste Rom. Madame Laura, elle, nous prévenait quand il y avait un test ou un…

— Madame Laura n'était pas un bon professeur ! lâche madame Wenham d'une voix forte qui gonfle de plus en plus. Comme la plupart des professeurs, d'ailleurs !

Tous les élèves sont abasourdis[8], y compris Rom qui se demande si elle doit répliquer quelque chose à ça. Comme si elle lisait dans ses pensées, l'enseignante la devance et dit en pointant un doigt vers la fillette :

— Et ne t'avise pas de répliquer, Rom. Je sais que tu es certes la vedette de l'heure en ce moment et que tu te crois sans doute bien forte. Mais cela ne m'impressionne pas.

Rom serre les dents, vexée à l'idée qu'une personne ne soit pas admirative devant ses exploits. Madame Wenham poursuit en s'adressant cette fois à toute la classe :

8. Ahuris, surpris.

—La seule chose qui m'impressionnera et fera de vous de bons élèves, c'est votre réussite scolaire.

Madame Wenham consulte l'horloge : la cloche va sonner d'une seconde à l'autre.

—Je sais que demain c'est l'Halloween et que, normalement, vous venez déguisés à l'école, mais ce midi, la directrice nous a dit que les règles avaient changé. Personne ne peut se déguiser demain.

Un brouhaha[9] de protestations explose dans la classe. Madame Wenham lève les mains et, en émettant pour la seconde fois ce rire sec et mécanique, elle dit :

—Mais non, c'était pour rire. C'était ma blague de fin de journée. Bonne soirée et à demain !

* * *

—Rom ! Le souper est prêt !

C'est la seconde fois que Mère Sof appelle sa fille ; elle et le reste de la famille attendent autour de la table, sur laquelle se trouvent quatre assiettes pleines de lasagne. Rom descend et vient s'asseoir en soupirant.

—Je n'avais pas encore terminé d'étudier...

—Tu viens de terminer tes leçons ? s'étonne Nat.

—Ouais... Notre nouvelle enseignante, madame Wenham, est pas mal exigeante !

---

9. Bruit de voix confus émanant d'une foule.

— Tu vas t'habituer, la rassure sa mère.

Tout le monde mange en silence quelques instants, puis Papa Pat demande :

— Ton costume de *High School Musical* est prêt pour demain, Rom ? Et toi, mon grand, tes accessoires de vampire ?

Nat, la bouche pleine, secoue la tête, l'air dédaigneux[10].

— Non. Rom et moi, on a décidé de changer de costume.

— Ah, bon ? Vous allez vous déguiser en quoi ?

— En super-héros, répond Rom. Mais ce ne sera pas compliqué : on va juste se mettre une cape dans le dos, un pantalon noir et un t-shirt blanc avec des initiales collées dessus : SR pour moi, et SN pour Nat.

Mère Sof cherche un moment, puis :

— C'est qui, ça, SR et SN ?

Ses deux enfants sont insultés qu'elles ne comprennent pas. Nat finit par répondre sur un ton de reproche :

— Ben voyons, m'man ! Super-Nat et Super-Rom !

Les parents écarquillent les yeux. Papa Pat stoppe même sa fourchette qu'il dirigeait vers sa bouche. Après de longues secondes de silence, Mère Sof bredouille :

---

10. Fier, insolent.

— Vous... vous allez vous déguiser en vous-mêmes ?

— Ben oui ! On est des super-héros, maintenant, non ?

Papa Pat se frotte le menton, mal à l'aise, comme s'il se demandait comment aborder le sujet.

— Écoutez... Vous pensez pas que... que vous exagérez un peu ?

— Papa a raison, ajoute Mère Sof doucement. Ce que vous avez fait comme exploits, c'est très bien, mais vous n'êtes pas des super-héros pour autant.

— Vous êtes courageux et intelligents, oui, mais vous êtes quand même des enfants normaux, ne l'oubliez pas, poursuit Papa Pat sur le même ton.

Nat et Rom plissent les yeux puis un sourire moqueur étire les lèvres du garçon :

— T'es jaloux, hein, p'pa ?

— Qu... quoi ?

— C'est ça, t'es jaloux ! rigole Rom à son tour. T'es tellement habitué d'être le seul membre de la famille connu que tu n'acceptes pas qu'on le soit nous aussi !

— Ouais ! renchérit son frère. Même les journalistes, hier, te l'ont dit que tu n'étais plus la seule vedette !

Papa Pat est si déconcerté[11] par cette idée ridicule qu'il n'arrive pas à répliquer quoi que ce soit. C'est

11. Surpris, désemparé.

Mère Sof qui intervient, d'une voix maintenant carrément réprobatrice :

— Là, les enfants, vous êtes en train de prendre tout ça beaucoup trop au sérieux. Si vous vous pensez trop bons, vous allez perdre vos amis et...

— Jamais de la vie ! fait Nat. On a encore plus d'amis depuis qu'on est connus !

— Ouais ! renchérit Rom. On va se déguiser en Super-Nat et Super-Rom et tout le monde va *triper*, vous allez voir !

Et sans un mot de plus, l'air buté, ils poursuivent leur repas. Les deux parents se regardent avec scepticisme[12].

---

12. Doute.

Chapitre 3
Bouleau et boulot

— Tu es déguisée en toi-même ?

C'est Anne-Lo qui pose la question à Rom, tandis qu'elles s'assoient derrière leur pupitre dans la classe. Rom est affublée[1] d'une cape de super-héros et sur sa poitrine est collé un écusson qui indique SR. Elle précise fièrement :

— En Super-Rom ! Et mon frère s'est déguisé en Super-Nat ! Avoue que c'est une bonne idée !

Anne-Lo a une moue sceptique[2]. Elle-même est déguisée en jolie petite coccinelle et elle a même teint ses longs cheveux bruns en rouge. Plusieurs enfants lui ont dit qu'elle avait un très beau costume, mais personne n'a encore complimenté Rom. Au contraire, tandis qu'ils s'installent, tous les élèves du groupe la dévisagent avec une sorte d'agacement. La fillette s'en rend compte et cela la fâche. Pourtant,

---

1. Déguisée, accoutrée.
2. Qui exprime le doute.

au cours des derniers jours, tout le monde à l'école l'admirait pour ses exploits. Alors pourquoi semblent-ils dédaigner son costume ? Sont-ils jaloux ? Elle se penche vers Anne-Lo :

— Toi, tu l'aimes, mon costume ?

— Heu...

— Oui ou non ?

Anne-Lo ne sait que dire, embêtée. Au même moment, madame Wenham entre dans la classe. Ses cheveux sont encore attachés en chignon, son tailleur gris ressemble tellement à celui de la veille qu'on pourrait croire qu'il s'agit du même, et ses lunettes, qu'elle ne porte jamais, pendent à une cordelette autour de son cou. Elle se poste devant le miroir un moment, replace son chignon puis se plante devant la classe.

— Vos costumes sont vraiment affreux, ce ne sera pas possible de se concentrer avec de tels accoutrements. Allez, déshabillez-vous tous, vous allez travailler en sous-vêtements.

La pièce explose d'exclamations épouvantées. Les yeux de deux ou trois élèves se remplissent même de larmes à l'idée de se déshabiller devant tout le monde, mais l'enseignante pousse aussitôt son rire aigre et bref :

— Mais non ! C'était la blague du début de journée ! Une bonne dose d'humour commence bien la matinée ! Mais maintenant, soyons sérieux.

Elle marche vers son bureau tandis que les élèves secouent la tête, ne sachant trop comment prendre ce genre de blagues. Rom se frotte le front, déconcertée. Si madame Wenham pense les faire rire de cette façon, elle se met vraiment un doigt dans l'œil !

L'enseignante consulte son *Calendrier encyclopédique,* lit quelques lignes en suivant les phrases de son index orné d'une bague étoilée puis dit :

— Aujourd'hui, 31 octobre. C'est le neuvième jour du Scorpion dans l'astrologie. Les saints du jour sont Amplias, Quentin et Wolfgang. Le 31 octobre 2002, un tremblement de terre secouait le centre et le sud de l'Italie. Le 31 octobre 1968, le président américain Johnson ordonnait l'arrêt total des bombardements au Vietnam. Le 31 octobre 1944, le docteur Petiot, qui était un tueur dangereux, était enfin arrêté.

Elle lève les yeux et conclut :

— Et le 31 octobre, c'est bien sûr l'Halloween. Une fête que, personnellement, j'aime beaucoup.

Rom lève un sourcil, surprise que cette femme rêche puisse aimer une fête quelconque. Madame Wenham referme le *Calendrier encyclopédique,* puis ouvre un cahier en expliquant :

— Bien. Nous allons donc procéder au premier test oral. J'ai déjà décidé dans quel ordre vous allez tous passer ce test, mais bien sûr, je ne vous le dirai qu'au fur et à mesure. Aujourd'hui...

Elle consulte son cahier:

—… ce sera Anne-Lo.

Tout le monde est soulagé, sauf Anne-Lo qui pousse un petit soupir de déception. Tandis qu'elle se lève, elle lance un coup d'œil vers Rom qui lui fait un sourire d'encouragement. Madame Wenham l'invite d'une voix calme:

—Viens, Anne-Lo, poste-toi devant la classe, je vais te poser des questions.

Anne-Lo se tient debout face à ses compagnons et compagnes et, les mains croisées devant elle, attend. Dans son costume de coccinelle, elle paraît encore plus vulnérable. Madame Wenham quitte son bureau et va se planter à la droite de l'élève, à environ deux mètres d'elle. Les mains dans le dos, elle demande:

—As-tu bien étudié, hier soir?

—Oui, madame Wenham.

—C'est ce qu'on va voir.

Elle se tourne vers la classe, presque menaçante:

—Et vous tous, je ne veux aucune réaction de votre part, même si vous vous rendez compte qu'elle commet des erreurs, c'est clair? Si quelqu'un réagit, il aura une mauvaise note!

Les élèves se taisent: ils ont parfaitement compris. Madame Wehham revient à Anne-Lo:

—On va débuter avec les multiplications. Dis-moi ce que font neuf fois trois?

— Vingt-sept.

— Bien. Douze fois quatre ?

— Quarante-huit..

— Neuf fois neuf ?

— Heu... Quatre-vingt-un.

Madame Wenham lui demande une douzaine de calculs et Anne-Lo répond sans aucune faute.

— Très bien, Anne-Lo, ça va bien.

Madame Wenham semble plutôt fière de la performance de son élève et Rom est rassurée à l'idée que cette femme, sous ses airs sévères, puisse montrer de la satisfaction. Anne-Lo elle-même sourit de contentement et elle lance un sourire vers Rom. Cette dernière lève le pouce pour lui dire que tout va bien. L'enseignante, toujours les mains dans le dos, poursuit :

— Un peu de français, maintenant. Va au tableau. Je vais te donner cinq phrases en dictée.

Anne-Lo va au tableau et prend une craie. L'enseignante annonce :

— Voici la première : « Les enfants jouent au ballon dans la cour. »

Anne-Lo écrit les mots sans aucune faute. Elle inscrit aussi les phrases deux, trois et quatre sans commettre la moindre erreur. À un moment, elle fait presque une faute de conjugaison, mais elle s'en rend compte et la corrige à temps. Madame Wenham est de plus en plus fière :

— Tout va très bien, Anne-Lo. Voici la dernière phrase : « Le bûcheron coupe le bouleau dans la forêt. »

Anne-Lo se met à écrire. Quand elle arrive au mot bouleau, elle hésite, pointe le bout de sa langue entre ses lèvres comme si elle réfléchissait de toutes ses forces, puis inscrit finalement : « boulot ». Dans la classe, quelques élèves ont remarqué la faute, dont Rom, mais personne ne réagit, comme l'a demandé l'enseignante. Quand la fillette a terminé, elle se retourne vers madame Wenham. Cette dernière fixe longuement la phrase et son air de fierté fait place à une expression de déception.

— Tu as fait une faute, Anne-Lo.

La fillette relit sa phrase. À ce moment, Rom remarque que madame Wenham accomplit un geste qu'elle n'avait pas encore fait : elle enfile ses lunettes. Pas pour relire la phrase, mais pour fixer Anne-Lo avec attention. D'une voix lente, elle articule :

— « Boulot » comme tu l'as écrit, ça veut dire travail. Quand c'est un arbre, ça s'écrit « e-a-u ». Bouleau.

Anne-Lo hoche la tête :

— Je me doutais que j'avais fait une faute à ce mot-là…

Mais elle n'est pas découragée. Après tout, elle n'a fait qu'une seule faute, ce qui est très bien, non ? Pourtant, madame Wenham continue à l'observer très intensément et derrière ses lunettes, ses yeux sont impitoyables[3]. Elle répète d'une voix presque rauque :

— E-a-u, Anne-Lo. Pas o-t. Bouleau. Tu as compris ?

Rom croit voir une sorte d'étincelle briller dans les verres des lunettes de la femme, mais elle n'en est pas sûre. Anne-Lo, étonnée d'une telle insistance, répond :

— Heu... Oui, oui, j'ai compris.

Madame Wenham dévisage encore la fillette quelques instants, puis elle enlève ses lunettes.

— Parfait. Pour terminer, je vais te poser quelques questions en univers social. Est-ce que les Iroquois étaient nomades ou sédentaires ?

Anne-Lo répond aux quatre dernières questions, sans faute. Quand l'enseignante annonce que le test est terminé, la fillette affiche un large sourire victorieux. Sauf que madame Wenham, au lieu de la féliciter, lui dit :

— Dommage, tu as fait une erreur.

— Mais... mais une seule erreur, c'est très bien, non ? s'étonne Anne-Lo.

— C'est pas mal, mais ce n'est pas parfait.

Outrée[4], Anne-Lo retourne s'asseoir tandis que l'enseignante retourne vers son bureau. Rom, aussi

3. Sans pitié.

4. Vexée.

offusquée[5] que son amie, ne peut s'empêcher de dire avec assez de force pour qu'on l'entende :

— Quand on faisait juste quelques fautes, madame Laura nous félicitait ! Une seule erreur, c'est pas grave !

— Oui, c'est grave ! s'écrie la femme en se retournant brusquement vers la classe.

Tout le monde sursaute, tandis que madame Wenham continue sur un ton rageur :

— Chaque erreur que nous commettons fait de nous quelqu'un de plus faible ! Chaque erreur que nous commettons peut avoir des conséquences ! Et la vie se charge toujours de nous le rappeler, je vous le garantis !

Rom se ratatine sur sa chaise et regrette d'être intervenue. Madame Wenham plisse les yeux, perplexe[6], puis demande à Rom :

— Mais... en quoi es-tu déguisée, au juste ?

D'abord prise au dépourvu par le changement de sujet, Rom balbutie :

— Heu... Je... En Super-Rom...

Deux ou trois élèves ricanent. Madame Wenham a un rictus[7] dédaigneux et marmonne :

— Quand tu auras passé ton test oral, on verra si tu es une Super-Rom...

Puis, elle ouvre un cahier et annonce :

---

5. Fâchée.
6. Hésitante.
7. Sourire forcé, grimace.

—Sortez vos cahiers d'univers social, tout le monde.

Tandis qu'on obéit, Rom lance un regard noir vers l'enseignante et se dit que, décidément, elle n'aime pas cette madame Wenham.

* * *

Nat et Rom ne sont vraiment pas seuls pour courir l'Halloween : il y a Aria, Anne-Lo, Juliette, Willy, Andy, Fred et Charlot. Ils ne commencent leur tournée qu'à dix-neuf heures quinze car Rom devait terminer ses longues études. La soirée n'est heureusement pas trop froide. On voit passer plusieurs enfants qui gambadent d'une porte à l'autre et tandis que le groupe marche vers sa première maison, Charlot, qui est déguisé en cow-boy, dit :

—C'était donc bien long tes leçons, Rom !

—Nous, notre prof ne nous a presque rien donné à étudier pour qu'on puisse courir l'Halloween plus tôt ! ajoute Aria, qui est affublée d'un costume de chien.

—Ben, pas madame Wenham ! répond Rom. Elle est tellement exigeante ! Il faut que j'étudie beaucoup au cas où ce soit moi demain qui passe le test oral ! Aujourd'hui, c'était Anne-Lo.

—Ouais, poursuit Anne-Lo. Je n'ai fait qu'une seule faute sur ses 21 questions, et elle a dit que c'était grave ! Franchement !

Andy, déguisé en joueur de hockey, demande :

— C'était quoi ta faute ?

— J'ai écrit bouleau avec o-t au lieu de e-a-u !

Ils s'arrêtent devant la première porte et Nat demande :

— Bon, on parle d'autres choses, là ! Vous ne nous avez pas dit comment vous trouviez nos costumes, à Rom et moi !

Leurs amis sont un peu mal à l'aise. Après avoir sonné à la porte, Willy, affublé d'un costume de Ninja, ose enfin dire :

— Ben… Moi, je trouve que c'est pas vraiment des costumes…

— Et puis, c'est un peu prétentieux, non, de vous prendre pour des super-héros ? ajoute Juliette, déguisée en clown.

— Mais… C'est ce qu'on est, non ? réplique Rom.

— Exagérez pas, quand même ! ricane Fred sous son drap de fantôme.

Au même moment, la porte s'ouvre et une vieille dame toute plissée apparaît. Elle dégage une odeur d'eau de Javel et, d'une voix rocailleuse[8], elle s'exclame :

— Salut, les petits, salut, salut ! Vous êtes venus juste à temps, il ne me reste presque plus de bonbons !

8. Cassée, rauque.

Comme elle est vieille et que sa vue est mauvaise, les enfants doivent lever leurs sacs très haut pour ne pas qu'elle lance les friandises à côté. Ensuite, elle regarde dans sa boîte, y plonge presque sa tête au complet et dit :

— Hmmm... Il ne me reste maintenant qu'un chocolat... Aussi bien le donner à l'un d'entre vous... Mais à qui ?

Elle reconnaît Nat et Rom, et son sourire devient si large que mille rides supplémentaires apparaissent sur son visage.

— Ho ! Mais vous êtes les deux petits héros qui sont passés à la télévision ! Les deux enfants qui ont retrouvé la fée des dents, c'est ça ?

— Oui, madame ! répondent le frère et la sœur, et ils lancent un regard vaniteux[9] à leurs amis.

La vieille dame se penche vers eux.

— Je vais donner le chocolat à un de vous deux... mais lequel ? Hmmm...

Elle frotte son menton d'une main tremblotante. Les amis de Nat et Rom sont ennuyés, ils en ont assez de cette histoire. Puis la dame demande :

— Vous avez tous les deux délivré la fée de son maléfice, mais j'imagine qu'un de vous deux a fait plus de travail que l'autre, non ?

9. Prétentieux.

Les deux enfants sont pris au dépourvu. Ils n'avaient jamais songé à cela. Nat finit par répondre :

— Heu... Pas vraiment, non.

Rom, qui réfléchit, dit soudain :

— C'est vrai que c'est moi qui ai enlevé le collier maléfique...

Nat la dévisage avec étonnement. Rom soutient son regard et dit :

— Ben, quoi ? C'est vrai ou c'est pas vrai ?

— Heu... C'est vrai, mais...

— Parfait ! s'exclame la vieille dame en se redressant. Alors, c'est toi la meilleure, ma chouette !

Et elle lance le chocolat dans le sac de Rom. Puis elle leur souhaite une bonne soirée et referme la porte. Nat est vraiment fâché :

— Franchement ! T'as peut-être enlevé son pendentif à la fée, mais si je n'avais pas détourné son attention, t'aurais fait quoi, hein ?

— Et si je n'étais pas allée te rejoindre dans la salle de dentiste, toi, t'aurais fait quoi ?

— Ho, ça suffit, là ! soupire Juliette.

— Ouais, on s'en va à l'autre maison ! ajoute Andy.

Les enfants marchent vers la rue, mais Nat et Rom continuent de s'obstiner.

— Je te rappelle, Rom, qu'au début, t'avais si peur que t'as même pas osé me suivre !

— Peut-être, mais je te rappelle que c'est toi qui as appelé à l'aide ! De toute façon, je commence à être habituée d'aller te sauver !

Piqué au vif, Nat agrippe sa sœur par l'épaule et la retourne brusquement. Tous s'arrêtent sur le trottoir pour observer la scène.

— C'est moi le meilleur parce que je suis plus brave que toi ! fait Nat.

— Non, c'est moi la meilleure parce que c'est moi qui ai enlevé le **7** à la fée !

Leurs amis leur disent d'arrêter, que ce n'est pas le moment de se chicaner, qu'ils sont tous les deux égaux, mais Nat et Rom n'écoutent pas et s'engueulent de plus en plus. Anne-Lo, lassée, se met en marche vers la rue en criant :

— Moi, je suis tannée de vos enfantillages ! Je m'en vais à la maison en face, bon !

Elle est si exaspérée qu'elle ne regarde pas avant de traverser et au moment où elle atteint le milieu de la rue, deux phares l'éclaboussent d'une lumière blanche. Anne-Lo ne bouge plus, figée de peur dans son costume de coccinelle, et fixe avec des yeux épouvantés la voiture qui fonce vers elle. Le reste du groupe hurle d'une même voix :

— Attention !

Nat et Rom cessent de se chamailler et tournent la tête vers la rue. La voiture, à la dernière seconde, réussit à s'écarter et, au lieu de percuter l'enfant, va s'enfoncer dans un arbre. Une seconde plus tard, le conducteur sort de l'automobile, énervé, et crie :

— Ça va ?

Sur l'autre trottoir, tous les enfants poussent un long soupir rassuré. Anne-Lo, toujours dans la rue, tourne la tête vers eux et, malgré la peur qui n'a pas encore complètement disparu, réussit à leur sourire.

— Désolé ! s'excuse le conducteur. Quand je reviens du boulot, le soir, je suis fatigué et...

Un terrible craquement interrompt sa phrase et tous les regards se tournent dans la même direction. L'arbre, sous le choc de l'impact, s'est fendu à plusieurs endroits, à tel point que maintenant il tombe, il tombe vers la rue, il tombe vers...

Anne-Lo lève la tête et son sourire s'estompe aussitôt. Sous les yeux horrifiés de ses amis, elle disparaît sous l'arbre qui termine sa chute dans un bruit d'enfer.

Les enfants se précipitent. Le conducteur lui-même s'élance, saisi de panique. Anne-Lo est étendue sur le sol. L'arbre écrase ses jambes à la hauteur des cuisses.

— Anne-Lo ! Anne-Lo ! crie Aria en pleurant.

— Dis quelque chose ! supplie Willy.

Anne-Lo a les yeux fermés et ne bouge pas. On n'entend qu'un faible gémissement qui sort de sa bouche entrouverte. Fred tente de soulever l'arbre, mais en vain. Plusieurs résidents du quartier sont sortis de leurs maisons et viennent voir ce qui se passe. Dans toute cette confusion et cette tempête d'émotions, le conducteur de la voiture s'empresse d'aller chercher son cellulaire dans la voiture puis appelle la police :

— Oui, venez vite ! Dans la rue Félix-Jean ! Une fillette a été écrasée par un arbre !... Non, un gros arbre, un bouleau, je crois !... Je pense qu'elle vit toujours, mais je ne suis pas sûr !... Pour l'amour du ciel, dépêchez-vous !

Juliette se tourne vers Nat et Rom et leur crie, désespérée :

— Mais faites quelque chose, vous deux ! Vous êtes des super-héros, oui ou non ?

Nat et Rom ne trouvent rien à dire. Figés, ils se contentent de fixer le corps d'Anne-Lo d'un air totalement impuissant.

Chapitre 4

Trois fautes

Papa Pat écoute au téléphone, l'air grave, tandis que Mère Sof, assise sur le sofa, entoure contre elle Nat et Rom qui, toujours dans leur costume de super-héros, ne quittent pas leur père des yeux. Celui-ci raccroche au bout d'un moment.

—Sa vie n'est pas en danger, explique-t-il à sa famille. Mais elle a une jambe cassée. Elle va devoir rester à l'hôpital plusieurs jours.

Personne ne prononce rien pendant un long moment. Rom marmonne finalement d'une petite voix:

—On n'a rien pu faire... Rien...

—Mais vous ne pouviez rien faire, non plus, la rassure Mère Sof en lui caressant les cheveux et en l'embrassant sur la tête. Un arbre lui est tombé dessus, ce n'est quand même pas votre faute.

—Mais j'aurais aimé faire quelque chose, insiste la fillette.

Son frère a un air moqueur:

—Tu vois? C'est pas toujours toi, la meilleure...

— Et toi ? T'as été plus utile, peut-être ? rétorque Rom.

— Mais… mais de quoi parlez-vous ? demande Papa Pat.

Rom pointe son frère du doigt, accrochant au passage le nez de sa mère sans même s'en rendre compte.

— Nat refuse d'admettre que c'est surtout grâce à moi qu'on a délivré la fée des dents de son maléfice ! C'est moi qui ai enlevé son collier !

— Mais Rom, elle, ne veut pas avouer qu'au début, elle avait peur de l'affronter et que c'est moi qui ai eu le courage d'y aller en premier !

— C'est pas vrai ! se fâche Papa Pat. Une de vos amies vient de se casser une jambe et vous, vous vous obstinez sur cette foutue histoire de fée des dents ?

Plus calme, Mère Sof précise :

— Mais vous n'arrêtiez pas de dire que vous étiez une équipe, tous les deux, que vous aviez agi ensemble… Vous vous rappelez ? C'est ça qui est important, vous ne pensez pas ?

Les deux enfants ne disent rien et se contentent de se jauger[1] avec méfiance. Papa Pat soupire :

— Bon… Assez d'émotions pour ce soir. Qu'est-ce que vous diriez si on jouait à un petit jeu de société pour se changer les idées ?

---

1. Se juger du regard.

* * *

Le lendemain matin, le froid a obligé la plupart des enfants à enfiler une tuque et des bottes. Même les deux enseignantes qui surveillent dans la cour d'école ont sorti leur manteau d'hiver. Nat et Rom réunissent leurs amis autour d'eux et ceux-ci s'approchent avec curiosité, convaincus qu'on va leur parler de l'accident d'Anne-Lo. Mais à leur grand étonnement, le frère et la sœur leur demandent carrément de choisir lequel des deux est le meilleur.

— Moi, j'ai enlevé le pendentif maléfique à la fée !

— Moi, je n'ai pas eu peur de l'affronter !

— Moi, je suis allée te sauver quand tu étais prisonnier du bonhomme Setteur !

— Moi-moi-moi je t'ai sauvé quand-quand-quand...

Il serre les dents et s'oblige à se calmer pour ne plus bégayer, puis il reprend :

— Je t'ai sauvée quand il t'étranglait[2] !

— Vous en pensez quoi, vous autres ? demande Rom aux autres enfants.

Mais tous deux réalisent, déconcertés, qu'ils sont seuls : pendant qu'ils s'obstinaient, leurs amis se sont dispersés dans la cour. Rom, les mains sur les hanches, jette à son frère :

— Tu vois ? Ils sont tannés de t'entendre mentir !

---

2. Voir *Sept comme Setteur.*

— Tu veux dire qu'ils ne sont plus capables d'endurer tes vantardises !

— Bébé la-la !

— Fraîche-pet !

— Quoi ? Je vais le dire à papa et maman !

— Moi aussi !

Ils se chamaillent tellement qu'ils n'entendent même pas la cloche sonner ; une surveillante vient leur dire qu'ils doivent entrer. Sans s'adresser un mot de plus, les deux enfants marchent d'un pas raide vers la porte de l'école, tels deux soldats qui se seraient déclaré la guerre.

* * *

Madame Wenham, plantée devant le miroir, replace son chignon, puis, sans l'ombre d'un sourire, elle dit :

— J'espère que vous n'avez pas trop mangé de bonbons hier soir, car la police a annoncé à la radio que la plupart étaient empoisonnés.

Aucun cri de peur dans la classe, aucun regard terrifié, car tout le monde sait qu'il s'agit de la « blague du début de journée » de leur enseignante. Rom, qui n'a pas encore retrouvé son calme depuis la querelle avec son frère, a carrément envie de lui crier : « Elles sont plates, vos blagues ! », mais évidemment, elle s'abstient. Madame Wenham, piquée par l'absence de réaction après sa plaisanterie, pince les lèvres en précisant :

— Bon... Vous n'avez pas envie de rire ? Parfait. Passons tout de suite aux informations sur le premier novembre.

Elle marche vers son bureau, puis, en consultant son *Calendrier encyclopédique*, commence :

— Aujourd'hui, premier novembre. Dixième jour du Scorpion dans l'astrologie. Les saints du jour sont Austremoine, Césaire et David. Le premier novembre 1992, en France, une nouvelle loi interdisait aux gens de fumer dans les endroits publics...

Elle donne encore deux ou trois informations sur la date d'aujourd'hui puis referme son livre. Comme si elle se rappelait quelque chose, elle se touche le front et affirme :

— Ah, oui ! J'ai entendu dire qu'Anne-Lo a été blessée hier par la chute d'un arbre... Terrible, n'est-ce pas ?

Silence ému dans la classe. Rom, oubliant son frère un moment, sent la tristesse glisser en elle au souvenir de l'accident de son amie. L'enseignante demande alors :

— Au fait, quelqu'un sait quelle est l'essence de l'arbre qui lui est tombé dessus ?

La classe paraît prise de court par cette question incongrue[3], puis Rom finit par répondre :

— Heu... Un bouleau, je crois, madame.

---

3. Déplacée, inconvenante.

— Un bouleau ? Tiens, tiens…

La femme dit cela d'un air étrange et, sur le même ton, elle ajoute :

— En tout cas, j'ai l'impression qu'elle n'oubliera plus jamais comment écrire ce mot, n'est-ce pas ?

Rom serre les poings, choquée d'une plaisanterie d'aussi mauvais goût. Franchement, se croit-elle drôle ? Pourtant, madame Wenham a dit qu'elle ne ferait des blagues qu'en début et fin de journée. Croirait-elle donc vraiment ce qu'elle vient de dire ? Mais l'enseignante change aussitôt de sujet et, après avoir consulté son cahier, annonce :

— Bon. Pour le test oral d'aujourd'hui, ce sera… Dom.

Tous les visages se tournent vers le garçon en affichant un air navré. Car tout le monde sait que le pauvre Dom a beaucoup de difficulté dans ses apprentissages, qu'il travaille fort mais qu'il a besoin de soutien, de *beaucoup* de soutien. D'ailleurs, madame Laura l'aidait beaucoup. Madame Laura ne lui aurait jamais fait passer un test oral devant tout le monde, sachant très bien l'insurmontable difficulté que cela représentait pour lui.

Mais ce n'est pas madame Laura qui enseigne, maintenant. C'est madame Wenham.

Lentement, Dom se lève, manifestement très nerveux. C'est un garçon grand et légèrement grassouillet, aux cheveux blonds courts. Ses yeux bleus sont habituellement magnifiques, mais pour l'instant, ils sont dilatés d'inquiétude.

—Allez, Dom, approche.

Le garçon avance, tel un condamné marchant vers la potence. Tous le contemplent avec compassion[4], prévoyant déjà le mauvais quart d'heure que va vivre leur compagnon. Il s'immobilise devant la classe et commence à se tripoter nerveusement les doigts. Madame Wenham quitte son bureau, se place à environ deux mètres de Dom et demande :

—Tu as bien étudié, hier ?

—Oui… J'ai étudié très fort.

—Voilà certes une bonne attitude.

—Mais je trouve ça très difficile. Madame Laura le comprenait et elle me…

—On va commencer par les mathématiques, le coupe l'enseignante. Va au tableau et effectue les calculs que je te demande.

Dom va au tableau, prend une craie et attend en s'humectant nerveusement les lèvres.

—168 plus 48, annonce le professeur.

Lentement, Dom écrit les chiffres au tableau, puis les étudie longuement. Visiblement, dans sa tête, il réfléchit à toute vitesse. Puis, il dit d'une voix suppliante :

---

4. Pitié, sympathie.

— Normalement, madame Laura me donne un petit coup de main pour partir, juste pour...

— Madame Laura n'est plus ton professeur, Dom! coupe sèchement madame Wenham. Il est temps que tu apprennes à te débrouiller seul! Allez, résous l'opération.

Dom avale sa salive et, sans insister, commence à calculer. Mais il se fourvoie[5] complètement avec ses dizaines et ses centaines et quand il inscrit sa réponse, Rom comprend qu'il s'est trompé. Pauvre Dom, se dit-elle, ça commence mal. Le garçon attend, anxieux. Madame Wenham, en apercevant la réponse, fronce les sourcils. Puis, lentement, elle met ses lunettes. Rom se dit que c'est la seconde fois seulement qu'elle les enfile. La femme observe attentivement Dom et dit:

— Non, Dom... La réponse est 216.

Et elle répète, insistante:

— 216.

Piteux, Dom hoche la tête, mais son air indécis démontre qu'il ne saisit pas sa faute. Madame Wenham enlève ses lunettes et dit:

— Mauvais départ, on dirait. Essaie donc 747 moins 279.

— Je... Je ne comprends pas mon erreur, madame.

— 747 moins 279, répète l'enseignante.

5. Se trompe.

Soumis, Dom inscrit l'opération d'une main légèrement tremblante. À nouveau, il fixe les chiffres d'un air égaré, comme s'il tentait de déchiffrer une langue inconnue, puis effectue péniblement les calculs. Il tente tellement de comprendre qu'une fine couche de sueur recouvre peu à peu son front. Il finit par inscrire 532. Rom secoue la tête piteusement. Dom tourne la tête vers l'enseignante, le visage crispé par un mélange de crainte et d'espoir. Madame Wenham pousse un profond soupir. Elle enfile à nouveau ses lunettes et articule :

—Non, Dom. La réponse est 468... Tu entends ?... 468.

Un grand malaise plane dans la classe. Dom se gratte la tête et, malgré sa terreur, ose répéter :

—Je... Je ne comprends pas, madame. Si vous ne m'expliquez pas, je ne pourrai pas me...

—Étudie plus et tu comprendras, l'interrompt l'enseignante en enlevant ses lunettes.

—Mais je... J'étudie beaucoup, je vous le jure... C'est juste que... que je trouve difficile de... de...

—Arrête de te plaindre et fais cette dernière opération, qui devrait être plus facile : 27 plus 27.

Cette fois, Dom gémit presque :

—Mais ça ne donne rien, je ne comprends pas ! Je ne...

—Tu retardes toute la classe, Dom !

Les élèves sont tellement mal à l'aise pour leur compagnon que plusieurs baissent les yeux, incapables d'assister à une scène si humiliante. Rom voit quelque chose de terrible dans le regard de Dom: l'abandon, comme si le garçon avait compris qu'il était inutile de vouloir raisonner cette femme cruelle. Sans trembler cette fois, avec la lenteur du désespoir, Dom inscrit les chiffres et, sans même tenter de calculer, comme s'il savait déjà qu'il n'y arriverait pas, il inscrit n'importe quoi: 85. Puis, il baisse la main. Cette fois, il ne regarde pas l'enseignante. Il se contente d'attendre, résigné.

Le visage de madame Wenham devient encore plus dur. De nouveau, elle enfile ses lunettes et Rom se demande pourquoi elle les met sur son nez chaque fois qu'un élève fait une erreur. L'enseignante marmonne d'une voix rauque:

—La réponse est 54, Dom.

Une sorte d'éclair traverse les verres de ses lunettes tandis qu'elle répète:

—54.

Le silence est total dans la classe. Dom, le dos tourné à la classe, ne bouge toujours pas, comme s'il s'était transformé en statue. Rom ne peut distinguer son visage, mas elle est convaincue qu'il doit être terrible à voir. Madame Wenham enlève ses lunettes, les laisse pendre à son cou et, en grimaçant de mépris, annonce:

— Trois questions, trois erreurs. Il s'agit certes d'une catastrophe. Inutile de continuer ton test. Va t'asseoir.

Dom ne bouge toujours pas. Madame Wenham répète avec plus de force :

— Va t'asseoir, Dom.

Le garçon, avec une lenteur terrible, dépose la craie sur le bord du tableau et se retourne. Son visage est tout blanc et ses yeux bleus emplis de larmes. Sans regarder personne, il se traîne vers son bureau, démoli comme si on venait de lui annoncer la pire nouvelle de sa vie. Il se laisse tomber sur sa chaise et ne bouge plus. Rom est furieuse. Comment une enseignante peut être si insensible, manquer de cœur et de compréhension à ce point ? Impassible, comme si rien de tout cela ne la touchait, madame Wenham va à son tour au tableau et dit en commençant à écrire :

— Bon. Maintenant, on va parler de deux hommes très importants : Samuel de Champlain et Jacques Cartier. Sortez vos cahiers d'univers social, on va prendre des notes.

Dociles[6], les élèves sortent leur cahier. Rom, à un moment, tourne la tête vers Dom. Le garçon n'écrit pas, ne regarde même pas au tableau. Il fixe son bureau, perdu dans ses sombres pensées.

---

6. Obéissants.

* * *

La journée est terminée. Dans le couloir, les élèves de madame Wenham enfilent leurs manteaux sous la surveillance de leur enseignante. Rom glisse lentement ses pieds dans ses bottes. Depuis une demi-heure, elle ne cesse de songer à son frère, qu'elle va revoir dans quelques minutes, et cela la met déjà en colère. Ce prétentieux va-t-il finir par admettre que c'est elle la meilleure ? Ne voit-il pas qu'il a complètement tort ?

— Rom, tu te dépêches ? s'impatiente madame Wenham.

Rom réalise que tout le monde est prêt, sauf elle. Elle s'empresse d'attacher ses bottes tandis qu'une fillette se moque :

— Rom est toujours la dernière prête !

— Vraiment ? fait l'enseignante.

Rom garde le silence car elle sait que c'est vrai. C'est sans doute un de ses pires défauts : la lenteur à se préparer. Mais, bon ! C'est un défaut anodin, après tout. Madame Wenham poursuit :

— En tout cas, quand c'est le temps de passer dans les journaux ou à la télévision, tu es certes plus rapide...

Quelques élèves rigolent et Rom, tout en terminant d'attacher ses lacets, serre les dents de frustration[7]. En se relevant, elle ne peut s'empêcher de dire :

---

7. Colère.

— C'est votre blague de fin de journée, ça, madame Wenham ?

Stupéfaction[8] générale. Rom elle-même rougit : elle n'a vraiment pas l'habitude d'être si impolie ! Elle a toujours eu du caractère, oui, mais de là à manquer de respect envers un professeur ! Déteste-t-elle cette madame Wenham au point de perdre tout savoir-vivre ? L'enseignante affecte une expression courroucée[9], s'approche et marmonne :

— Le fait que tu sois devenue une vedette ne te donne pas le droit d'être impertinente, jeune fille.

Rom a cette fois le bon sens de garder le silence. Madame Wenham ajoute comme pour elle-même :

— Demain, on verra si tu seras aussi arrogante[10]...

La fillette fronce les sourcils. Quoi, demain ? Pourquoi, demain ? Madame Wenham réalise qu'elle en a trop dit puis, changeant de sujet, elle lance en se mettant en marche :

— OK, on sort dans la cour tout le monde.

Tout en descendant l'escalier, Rom réfléchit aux derniers mots de madame Wenham et finit par comprendre : demain, ce sera elle qui passera le test oral !... Eh bien, pourquoi pas ? Rom a toujours eu de bonnes notes, ça ne changera pas avec son nouveau professeur ! Elle va étudier au maximum et

8. Étonnement et peur.
9. Irritée.
10. Fière, insolente.

montrer à cette femme qui est Super-Rom ! Elle verra bien !

* * *

L'autobus quitte l'école, roule quelques secondes dans la rue Sainte-Anne, puis tourne dans la rue de la Rivière. Durant le trajet, Nat et Rom se chicanent plus que jamais, à un point tel que tous leurs amis s'assoient le plus loin possible d'eux, pour ne plus entendre leurs arguments enfantins, et se contentent de regarder, par les fenêtres de l'autobus, la rivière qui défile le long de la route.

— En tout cas, fait Rom, si jamais tu es encore en danger, ne compte plus sur moi pour t'aider ! Une héroïne comme moi n'a vraiment pas besoin d'un assistant qui se met toujours dans le trouble !

— C'est moi, le héros ! réplique Nat, furieux. Et je n'ai pas besoin d'une assistante qui-qui-qui a toujours peur et qui n'ose jamais se-se-se...

— Se-se-se ! se moque Rom méchamment. Je ne savais pas que les super-héros bégayaient !

Même si la plupart des autres enfants ne s'occupent plus des deux ennemis, deux ou trois parmi eux ricanent tout de même. Nat en demeure bouche bée pendant de longues secondes, puis il finit par bredouiller, incrédule[11] :

---

11. Méfiant.

— Tu... tu as ri de mon bégaiement!

Rom elle-même se sent gênée pendant un bref moment. C'est bien la première fois qu'elle se moque du handicap de son frère. Mais elle redevient hautaine et lance:

— T'as couru après!

Les traits de Nat se crispent si violemment qu'on a l'impression que son visage va craquer. Au même moment, l'autobus arrive au coin où ils doivent descendre. À toute vitesse, Nat se lève et s'empresse de descendre du véhicule, suivi de loin par sa sœur.

Trois minutes plus tard, ils arrivent tous deux à la maison, sans s'être dit un seul mot durant le court trajet à pied. Mère Sof est absente mais Papa Pat, qui est en train d'écrire, interrompt son travail et vient accueillir ses enfants en souriant.

— Alors, les mouks-mouks, le lendemain de l'Halloween n'a pas été trop pénible à l'école? Pas de surdose de bonbons?

Nat et Rom ne sourient même pas et enlèvent manteaux et bottes dans un silence buté. Découragé, Papa Pat lève les bras au ciel:

— C'est pas vrai! Vous vous chicanez encore pour savoir lequel de vous deux est le meilleur, c'est ça?

— C'est lui qui n'arrête pas! crie Rom en pointant son frère du doigt.

— Mais elle, elle a ri de mon bégaiement devant tout le monde dans l'autobus!

Sidéré, Papa Pat dévisage sa fille. Celle-ci garde la tête baissée un moment puis dit :

— OK, je m'excuse... mais qu'il arrête de me traiter de peureuse !

— Ça suffit, tous les deux ! explose Papa Pat. Cette popularité est en train de vous rendre complètement fous ! Allez étudier tout de suite chacun dans votre chambre, et pas un mot ! Ce soir, on va parler de tout ça avec maman, ça ne peut plus durer !

En faisant exprès pour accomplir de lourds et bruyants pas, les deux enfants montent l'escalier et s'enferment chacun dans sa chambre.

Après vingt minutes, Nat referme ses livres d'école en soupirant. Il est si en colère qu'il n'arrivera pas à se concentrer davantage. Renversé sur sa chaise, il fixe d'un œil noir ses statuettes de chevaliers. Rom est allée trop loin. Il ne peut pas laisser un tel affront impuni. Il doit se venger. Elle l'a humilié ? Elle doit être humiliée à son tour ! Mais comment ?

Il décide d'aller jouer dehors avec ses amis, ça va lui faire du bien. S'il reste enfermé, il va exploser !

En passant devant la porte fermée de la chambre de sa sœur, il entend celle-ci pousser un cri de frustration. Intrigué, il entre pour trouver Rom en train de fouiller désespérément dans son sac d'école en gémissant.

— Qu'est-ce que tu as à chialer encore ? demande sèchement son frère.

— J'ai oublié mon cahier d'univers social et il y avait des choses dedans qu'il fallait étudier pour demain ! répond Rom en lançant son sac par terre.

— Et après ? Tu les étudieras demain ! Tu vois ? Tu chiales pour rien, bébé la-la !

Il est sur le point de sortir mais Rom, désespérée, dit :

— Tu comprends pas ! Madame Wenham fait passer chaque jour un test oral à un élève, je te l'ai déjà dit ! Et je suis sûre que demain, ça va être moi !

— Qu'est-ce que tu en sais ? Tu nous as dit que vous ne saviez jamais d'avance qui passait le test.

— Tout à l'heure, elle a trop parlé, elle a dit quelque chose qui me fait penser que ça va être moi, demain ! J'ai mon cahier de français, mon cahier de maths, j'ai juste oublié celui d'univers social, c'est pas juste !

Rom se frotte le front, tentant de réfléchir. Comme si elle se parlait à elle-même, elle dit :

— Bon ! Il y avait juste deux choses qu'il fallait retenir : le nom du découvreur du Canada et le nom du monsieur qui a fondé la ville de Québec. Je vais aller demander à papa, il doit savoir ça...

Elle marche vers la porte, passe devant son frère et traverse le corridor. Nat réfléchit à toute vitesse. Lui qui, quelques minutes plus tôt, cherchait un moyen de se venger croit avoir trouvé une bonne idée. Il lance donc :

— Hé, Rom, attends !

Sa sœur, sur le point de descendre l'escalier, s'arrête et se retourne, agacée :

— Quoi ? Tu vas rire de moi, là, c'est ça ?

— Va pas déranger papa et maman. Je les connais, moi, tes deux réponses. J'ai tout appris ça l'année dernière. Je peux t'aider.

Rom, la main sur la rampe d'escalier, a un regard sceptique.

— Tu vas m'aider, toi ? Pourquoi ?

— Ben... Parce que je suis ton frère.

Rom hésite toujours, comme si elle continuait de se méfier. Elle lève le menton et demande sur un ton soupçonneux :

— C'est quoi, les deux réponses que je cherche ?

— Samuel de Champlain et Jacques Cartier.

Rom se frappe dans les mains et, tandis qu'elle revient vers sa chambre, elle s'exclame :

— C'est ça ! Je me rappelle que madame Wenham a parlé de ces deux hommes-là !

Dans sa chambre, elle prend une feuille de papier et se met à écrire en demandant :

— Donc, celui qui a découvert le Canada, c'est qui, déjà ?

Nat s'humecte les lèvres, hésite une ultime seconde, puis, d'une voix qu'il veut naturelle, répond :

— Samuel de Champlain.

— Donc, celui qui a créé la ville de Québec, c'est...

— Jacques Cartier.

Rom écrit tout cela rapidement. Nat garde le silence. Il a inversé les deux noms. C'est Champlain qui a fondé Québec et Cartier qui a découvert le Canada. Mais Rom ne s'en rend pas compte. Elle termine d'écrire les deux fausses réponses puis :

— Merci, le frère. Merci beaucoup.

Elle lui sourit de son sourire si gentil et complice, celui qu'elle avait toujours avant qu'ils se déclarent la guerre. En la voyant ainsi, Nat a un moment d'attendrissement et il est sur le point de lui dire la vérité, mais il songe à nouveau aux vantardises de sa sœur et aux moqueries sur son bégaiement, et sa rancune[12] réapparaît avec force. D'ailleurs, Rom elle-même se souvient tout à coup qu'ils sont supposés être en chicane car son sourire disparaît et, fouillant dans son sac, elle dit d'un ton distant :

— Bon. Laisse-moi étudier, là.

Nat tourne les talons et marche vers l'escalier, fier de sa vengeance. Demain, sa sœur donnera au moins deux mauvaises réponses à son test oral. Ça lui apprendra !

Il enfile son manteau et ses bottes et annonce à ses parents qu'il va jouer dehors avec ses amis.

---

12. Rancœur.

* * *

Malgré le froid de cette fin d'après-midi, Andy, Willy et Fred jouent au ballon dans la rue. Nat s'approche d'eux et, de bonne humeur, demande :

— Hé ! Avez-vous besoin d'un autre joueur ?

Les enfants cessent leur activité, contrariés. Willy se gratte la tête à travers sa tuque et bredouille :

— Ben, heu... Non, justement. À trois, comme ça, c'est parfait.

Nat s'étonne :

— Comment ça ? Deux contre deux, ce serait mieux !

— Nous autres, à trois, on trouve ça juste correct, ajoute Fred, un peu mal à l'aise.

Nat ne comprend pas, puis décide de tourner cela en blague :

— Je suis sûr que vous avez besoin d'un super-héros comme moi pour compter des buts !

— Non, justement ! lâche Andy qui ne camoufle plus son exaspération[13]. On est tannés de tes allures de super-héros ! Si toi et ta sœur vous vous pensez si bons, jouez donc juste tous les deux ensemble !

Willy et Fred ne répliquent rien mais évitent le regard de Nat. Celui-ci demeure quelques secondes totalement interdit, mais lorsque les garçons repren-

---

13. Agacement.

nent leur jeu, la frustration apparaît sur ses traits. Il rétorque avec mépris :

— Gang de jaloux !

Il s'éloigne à vive allure, les poings serrés. Tout en marchant, il tente d'apaiser sa colère : il n'arrive pas à croire qu'on l'ait traité ainsi ! Lui, Super-Nat ! Mais il songe aussitôt aux paroles de ses parents : ils avaient prévu que les enfants du quartier pourraient se lasser de l'attitude du frère et de la sœur… Est-ce cela qui arrive en ce moment ? Nat et Rom commencent-ils à taper sur les nerfs de tout le monde ?

Nat tourne dans une rue, grognon. Non, ce sont les autres enfants qui sont jaloux ! Et c'est Rom qui veut absolument être la meilleure !

« Donc, tout le monde a tort, sauf toi ? » demande une petite voix dans la tête du garçon.

Nat ne sait plus trop, il se sent mêlé. Il réfléchit tellement à tout cela qu'il entend à peine un bruit de moteur qui approche. Il lève la tête, juste à temps pour éviter un camion qui le dépasse à toute vitesse. Surpris, il lit l'inscription sur le véhicule qui s'éloigne : « *Coutellerie Lelong, les meilleurs couteaux en ville !* » Le même camion qui a roulé près de Rom, l'autre jour. Il faudrait que quelqu'un prévienne ce conducteur qu'il roule beaucoup trop vite !

Nat observe le décor autour de lui. Sans s'en rendre compte, il a marché durant une bonne dizaine de minutes et maintenant, il est au coin d'une rue qui mène dans le nouveau quartier qu'on a développé dans l'ancien bois. Inutile d'aller par là, il n'y a que des maisons en construction inhabitées. Nat tourne donc à gauche et s'engage dans une rue qu'il connaît un peu moins. Ce n'est pas ici qu'il va tomber sur des amis. Pourtant, là-bas, assis sur la première marche d'une galerie, il reconnaît un garçon d'un an et demi plus jeune que lui. C'est Dom, qui est dans la classe de Rom. Nat n'a jamais vraiment joué avec lui, mais il se sent si seul qu'il s'approche de la maison. Il s'arrête sur le trottoir et lance :

— Hé, Dom. Salut !

L'enfant lève la tête, morose[14]. Nat insiste :

— Je suis le frère de Rom.

— Oui, je te reconnais...

— Veux-tu jouer avec moi ?

Dom hausse les épaules et fixe à nouveau le sol, le menton enfoncé dans ses mitaines.

— J'ai pas tellement envie de jouer... Je suis pas tellement en forme.

— On pourrait juste se promener un peu. Moi non plus, ça va pas trop bien.

Dom pèse le pour et le contre. En soupirant, il se lève et regarde vers le soleil qui frôle déjà les toits des maisons :

---

14. Triste.

— OK, mais pas longtemps, il va faire noir dans pas grand temps.

— Pas de problème. Je vais rentrer bientôt moi aussi.

Trente secondes plus tard, les deux déambulent dans la rue déserte. Nat, intrigué par l'air abattu de son compagnon, demande :

— Qu'est-ce que tu as ?

Dom, d'abord réticent, finit par répondre :

— C'est notre prof, madame Wenham… Elle m'a fait passer un test oral ce matin…

— Ah, oui, ses fameux tests ! Ma sœur m'en a parlé…

— Elle m'a posé juste trois questions… et j'ai fait trois erreurs.

— Hmmmm… Ç'a mal été…

— Trois opérations de mathématiques ! Le pire, c'est que maintenant, je m'en souviens, des bonnes réponses : 216, 468 et 54 ! Elle me les a assez répétées ! Mais qu'est-ce que ça me donne de connaître ces réponses-là si je comprends pas mes erreurs !

Maintenant qu'il a commencé à parler, il continue avec de plus en plus de hargne[15]. Cela lui fait du bien de se défouler :

— Qu'est-ce que ça me donne de retenir ça, maintenant, 216, 468 et 54 ? Rien pantoute ! J'ai de la

15. Colère, agressivité.

misère, en maths! Je trouve ça dur! Et madame Laura, elle, m'aidait! Elle ne m'humiliait pas devant toute la classe!

Nat ne dit rien. Il songe à sa sœur, demain, qui donnera deux mauvaises réponses à son test oral. Curieusement, cette idée ne l'amuse plus autant que tout à l'heure.

Il aperçoit un gros chien noir, un berger allemand, immobile sur ses quatre pattes devant la porte d'une maison.

— Il est beau, ce chien. C'est à qui?

— Aucune idée, je ne l'ai jamais vu dans la rue, s'étonne Dom. En plus, ceux qui habitent dans cette maison sont partis en Floride pour tout l'hiver. Je me demande bien ce que ce chien fait là.

L'adresse de la maison est 216. Pourquoi Nat trouve-t-il ce chiffre étrange? Il croit comprendre et, amusé, dit à son compagnon:

— Hé! Cette adresse, 216, c'est une des réponses de tes calculs de ce matin, non?

Avant que Dom puisse répondre, le chien émet un grognement bas. Les deux enfants s'arrêtent devant la maison, craintifs.

— Tu-tu-tu crois qu'il est mé-mé-méchant? demande Nat, peu rassuré.

— Je ne sais pas, mais en tout cas, c'est moi qu'il regarde...

En effet, les yeux perçants du chien sont dirigés vers Dom et il retrousse méchamment ses babines, laissant entrevoir des dents menaçantes. Dans la pénombre qui envahit la rue déserte, la silhouette de l'animal semble encore plus sombre et le grognement qui en sort donne littéralement la chair de poule à Nat. Dom avale sa salive, puis propose :

— Allez, on continue et on ne s'occupe pas de lui...

Il n'a pas fait un pas que le chien bondit en poussant de terribles aboiements. Sous l'effet de la peur et sans réfléchir, Nat tourne les talons et se met à courir. Mais en entendant les jappements qui s'éloignent, il se retourne et s'arrête aussitôt : le chien poursuit Dom, qui se sauve dans la direction opposée en appelant à l'aide.

— Dom ! crie Nat en les suivant à la course. Pas par là !

En effet, le jeune garçon se sauve dans la direction opposée à sa maison, mais il est maintenant trop tard pour rebrousser chemin car le chien s'approche de plus en plus de sa proie, sans cesser de japper. Dom, paniqué, tourne dans une autre rue, mais le chien ne ralentit pas sa course. Nat les suit toujours en courant, essoufflé, cherchant de l'aide des yeux, mais il n'y personne dans la rue. Nat crie :

— Va dans une-une-une...

Merde ! Il doit se calmer, sinon il bégaie trop et Dom ne pourra comprendre ce qu'il dit ! Il prend une grande respiration et lance :

— Va dans une maison, n'importe laquelle !

Dom a manifestement entendu car il change soudain de direction et fonce vers la porte d'un bungalow. Il monte les marches de la galerie et, au moment d'atteindre la porte, se retourne une dernière fois. Ses yeux dilatés de terreur ont tout juste le temps de voir le chien bondir vers lui, la gueule grande ouverte.

— Dom, attention !

Trop tard : le chien s'abat sur l'enfant qui, sous l'impact, tombe sur le dos. Nat s'arrête, pétrifié d'horreur. Dom se débat en hurlant, tandis que l'animal le mord une fois, puis encore… et encore ! Mon Dieu, le chien va le tuer, c'est épouvantable ! Nat se met à crier après l'animal en claquant dans les mains, espérant ainsi lui faire peur. Est-ce que son truc fonctionne ou est-ce un hasard ? Toujours est-il que le molosse abandonne enfin sa victime et déguerpit vers l'arrière de la maison. Nat court rejoindre son compagnon.

— Dom, Dom ! Es-tu blessé ?

Le malheureux ne parle pas, mais il pleure, autant de terreur que de douleur. Son manteau est déchiré près de l'épaule, de même que son pantalon au niveau de la cuisse droite. Mais surtout, il y a du sang sur son visage et ses membres, beaucoup trop de sang, et Nat sent son cœur trembler d'effroi. En pleine panique, il sonne plusieurs fois à la porte puis se penche vers son ami. Une femme finit par ouvrir. En apercevant le garçon à ses pieds dans les bras de Nat, elle pousse un cri :

— Mon Dieu, mais c'est Dom !

— Appelez une ambulance, il est blessé ! lance Nat.

La femme disparaît dans la maison. Dom saisit le bras de Nat et le serre de toutes ses forces, ses yeux emplis de larmes et d'incompréhension.

— Pourquoi il... il m'a attaqué ? Pourquoi ?

Nat secoue la tête, désemparé. Tout en tenant Dom contre lui, il regarde autour puis ses yeux tombent sur l'adresse de la maison où ils se trouvent.

L'adresse est 468.

Chapitre 5

Intersection à éviter

Papa Pat et Mère Sof avaient prévu profiter du souper pour discuter avec leurs deux enfants de leurs mauvaises attitudes depuis quelques jours, mais en ce moment, réunis autour de la table, ils sont bien trop bouleversés pour y penser. Nat est encore secoué par la scène dont il a été témoin il y a à peine une heure. Mère Sof toussote et explique:

— J'ai appelé sa mère tout à l'heure. Elle est sous le choc, mais elle dit que Dom est hors de danger. Le chien l'a mordu plusieurs fois mais trois blessures sont plus importantes: une à la jambe, une à l'épaule et une autre à la joue. Mais il devrait guérir assez vite. Il a eu très peur et très mal. Pauvre petit bonhomme...

Papa Pat, qui chipote ses patates pilées du bout de sa fourchette, la laisse tomber et demande, exaspéré:

— C'est à qui, ce maudit chien-là ? Est-ce qu'on l'a retrouvé ?

— Quand on a aperçu le chien, Dom m'a dit qu'il ne l'avait jamais vu, précise Nat.

— En tout cas, les élèves de ma classe ne sont pas chanceux cette semaine ! soupire Rom.

Nat fronce les sourcils. C'est vrai, ce qu'elle dit. Quel étrange hasard... Rom remarque que son frère la dévisage et, arrogante, elle dit :

— Quoi ? Tu cherches encore une vacherie à me dire ?

— C'est vrai ! soupire Mère Sof en avalant un morceau de poisson. J'avais oublié que vous étiez en chicane, vous deux !

— Ah, oui ! Cette fameuse guerre pour savoir lequel de vous deux est le meilleur ! poursuit Papa Pat. Vous rendez-vous compte que vous risquez de perdre vos amis à cause de votre attitude prétentieuse ?

Rom rouspète quelque chose, mais Nat n'écoute pas. Il est encore trop secoué par l'attaque du chien pour songer à sa querelle avec sa sœur. Il dépose ses ustensiles et annonce d'une voix molle :

— Je vais aller prendre ma douche.

Incrédulité[1] générale : normalement, papa et maman doivent s'obstiner interminablement pour convaincre le garçon de se laver !

— Mais on est en train de parler de toi et de ta sœur ! fait Papa Pat.

---

1. Méfiance, doute.

— Laisse-le, propose Mère Sof en prenant la main de son conjoint. Il est encore un peu ébranlé...

Elle sourit à son fils et lui dit :

— Je vais aller te voir tout à l'heure, mon grand...

Une demi-heure plus tard, Nat est déjà couché. Ses parents sont venus lui dire bonne nuit, lui ont demandé s'il avait envie de parler. Il a répondu que tout allait bien. Mais maintenant qu'il est seul, plein d'idées se bousculent dans sa tête. Il ne s'endort d'ailleurs qu'au bout de plusieurs heures.

* * *

Le lendemain matin, dans la cour d'école, Nat est seul dans la balançoire. Ses amis continuent de le fuir, mais cette fois, cela fait son affaire, car il songe aux étranges hasards qu'il a constatés depuis quelques jours. Tout d'abord, Anne-Lo qui écrit « boulot » au lieu de « bouleau » et qui se fait presque tuer par un bouleau... Puis Dom qui commet trois fautes de mathématiques et qui subit trois blessures par un chien enragé... Et les deux adresses des maisons qui correspondent à deux des trois réponses que Dom aurait dû donner...

Tout en se balançant, Nat secoue la tête avec incrédulité. Tout cela peut-il être vraiment lié ? Non, ce serait trop incroyable ! Et puis, il y a une preuve que ce ne sont que des coïncidences[2] : la dernière réponse du test de Dom, 54, n'a aucun lien avec ce qui s'est passé hier soir. Cette constatation rassure Nat. Il a vraiment trop d'imagination...

La cloche sonne et tous les élèves marchent vers l'entrée.

* * *

Rom, tandis qu'elle s'assoit à son bureau, remarque qu'aujourd'hui encore, personne ne lui parle, comme c'est le cas depuis la veille. Mais pourquoi toutes ses amies l'évitent-elles ? Papa et maman auraient-ils raison ? Est-ce qu'elle est tellement « fraîche-pet » depuis qu'elle est connue qu'elle devient insupportable pour tout le monde ?

Madame Wenham, après s'être regardée dans le miroir, se plante devant la classe, toujours avec son tailleurs gris, toujours avec son chignon, toujours avec ses lunettes qui pendent à son cou, et toujours avec son air sévère.

— Bon vendredi, tout le monde. J'ai pris une décision. Comme vous ne réagissez pas à mes blagues de début de journée, j'ai décidé que je n'en ferais plus. Tant pis pour vous.

Les élèves n'ont absolument aucune réaction. Comme les blagues de madame Wenham sont tou-

2. Hasards.

jours sinistres, ils se moquent complètement qu'elle n'en fasse plus ! Mais l'enseignante émet son rire sec et dit :

— Mais non, ce n'est pas vrai ! C'était une blague ! Ma blague de début de journée, c'était de vous faire croire que je ne ferais plus de blague de début de journée ! Pas mal, n'est-ce pas ?

Les enfants soupirent, y compris Rom qui, décidément, ne comprend rien à l'humour de cette femme. De toute façon, elle ne comprend rien au comportement de cette femme. Madame Wenham va à son bureau, ouvre son *Calendrier encyclopédique* et défile les informations de la journée :

— Aujourd'hui, 2 novembre, onzième jour du Scorpion. Les saints du jour sont Eustochie et Cyprien. Le 2 novembre 2004, Bush a été élu président des États-Unis pour un second mandat. Le 2 novembre 1979, en France, le criminel Jacques Mesrine a été abattu par la police. Et le deux novembre 1958, les dernières troupes britanniques ont évacué la Jordanie. Voilà.

Elle ferme son livre, puis ouvre son cahier pour annoncer :

— Pour le test d'aujourd'hui, dernier de la semaine, ce sera... Rom !

Rom n'est évidemment pas surprise : elle s'en doutait bien. Elle se lève donc et marche vers l'avant de la classe. Tous les élèves l'observent d'un air désintéressé, dénué de toute empathie[3]. Elle est *vraiment* en train de perdre ses amies. Il faut que ça change. Dès cet après-midi, après l'école, elle va arranger cela. Elle va arrêter de se vanter, de parler d'elle et elle va redevenir la gentille Rom qu'elle a toujours été. Même avec Nat, elle va faire la paix, leur guerre est tellement ridicule. D'ailleurs, lui-même semble vouloir se réconcilier puisque, hier, il l'a aidée dans ses études.

— Alors, madame l'héroïne, prête à vérifier si tu es aussi parfaite que tu le crois ? demande madame Wenham.

Elle profère ces mots sur un ton de défi. Rom a un visage confiant. Elle a toujours eu de très bonnes notes et hier, elle a étudié plus que jamais. Le test de madame Wenham ne lui fait donc absolument pas peur.

— Je suis prête, madame.

L'enseignante vient se poster près de son élève, croise ses mains dans son dos et annonce :

— Parfait. Commençons par les mathématiques.

* * *

Madame Fanny, l'enseignante de Nat, annonce que tout le monde doit se mettre en équipe pour un travail. Normalement, Nat n'a aucune difficulté à

---

3. Capacité de ressentir les émotions de quelqu'un d'autre.

trouver des amis qui veulent être avec lui, mais cette fois, il doit insister pour que Willy et Joey acceptent de le prendre. Mais qu'est-ce qu'ils ont tous, ces temps-ci, à le fuir comme ça ? Tandis qu'ils s'installent, Willy demande à Joey :

— Alors, t'es au courant si Dom va bien ?

— J'ai vu sa sœur, ce matin, répond Joey. Il paraît que ses morsures ont été soignées et qu'il devrait sortir de l'hôpital dans une semaine, environ.

Nat est rassuré en entendant ces informations. Sauf que Joey ajoute :

— Il a eu beaucoup de points de suture. Cinquante-quatre en tout, tu imagines !

Cinquante-quatre ! La dernière réponse du test oral de Dom ! Nat ne peut plus croire qu'il s'agit d'un hasard : chaque fois qu'un élève passe un test oral avec madame Winham, il risque de subir des conséquences terribles s'il fait la moindre erreur. Il ne sait pas pourquoi ni comment cela peut être possible, mais c'est ce qui arrive.

Soudain, une terrible idée le frappe de plein fouet : Rom passe le test ce matin ! Et pour se venger, il lui a donné deux fausses informations hier soir !

Elle va se tromper ! Elle va faire deux erreurs par sa faute à *lui* !

— Hé, Nat, t'as pas entendu ?

C'est Willy qui lui parle. Nat cligne des yeux et son compagnon répète :

— Madame Fanny a dit qu'il faut inventer une chanson ! Tu as une idée ?

— Et, s'il te plaît, pas une chanson qui raconte encore tes exploits ! précise Joey.

Mais Nat n'entend même pas la moquerie : il ne pense qu'à sa sœur, qui doit être en train de passer son test oral en ce moment même. Près de la panique, il se lève et demande à son professeur :

— Madame Fanny, il faudrait que-que-que... que j'aille aux toilettes.

Madame Fanny, qui parlait avec une autre équipe, lui fait signe que c'est d'accord.

Nat marche rapidement vers la porte. Une fois dans le couloir, il se met à courir vers la classe de sa sœur, située à l'étage, à l'autre bout de l'école.

Pourvu qu'il arrive à temps !

* * *

Au tableau, Rom termine d'écrire la troisième phrase puis se tourne vers son enseignante, sûre d'elle. Madame Wenham hoche la tête avec approbation.

— Bravo, Rom. Jusqu'à maintenant, tu n'as fait aucune erreur dans le test. Je suis agréablement surprise.

Quelque chose de rare apparaît alors sur le visage de l'enseignante : un sourire admiratif et attendri. Elle dit :

— Peut-être es-tu finalement aussi parfaite que tu le prétends. J'en serais certes ravie.

Les autres élèves semblent agacés par ces mots, mais Rom relève la tête avec orgueil[4]. Si elle réussit à impressionner cette femme, ce sera toute une victoire ! Madame Wenham, toujours souriante, annonce :

— Dernière catégorie : univers social. Dis-moi donc qui a découvert le Canada.

Rom répond sans l'ombre d'un doute :

— Samuel de Champlain.

Dans la classe apparaissent quelques faciès étonnés. Madame Wenham hausse un sourcil et, lentement, son sourire s'efface. Rom la voit faire un geste qu'elle trouve de très mauvais augure : elle enfile ses lunettes. Normalement, elle ne les met que lorsqu'un élève donne une mauvaise réponse...

— Vraiment ? fait l'enseignante. Dans ce cas, qui a fondé la ville de Québec ?

Rom sent quelque chose défaillir en elle. Elle répond d'une voix indécise :

— Heu... Jacques Cartier ?

Madame Wenham ne sourit plus du tout. D'une voix dans laquelle pointe l'amertume, elle dit :

— C'est l'inverse, Rom. Tu as interchangé les deux réponses.

---

4. Fierté.

Une lueur singulière traverse les verres de ses lunettes tandis qu'elle précise lentement :

— Champlain a fondé Québec, Cartier a découvert le Canada... Champlain, Cartier...

Rom ne comprend plus rien. Pourtant, Nat lui a dit hier que...

Madame Wenham enlève ses lunettes en soupirant :

— Le test est terminé, Rom. Tu as presque réussi... mais tu as fait deux erreurs.

— C'est... c'est quand même excellent, juste deux fautes ! se défend la fillette.

— Mais ce n'est pas parfait, rétorque l'enseignante.

Et une réelle déception apparaît dans son regard.

Au même moment, la porte de la classe s'ouvre et Nat apparaît, fébrile.

— Rom ! As-tu passé ton test oral ?

Tout le monde, d'abord saisi, éclate de rire. Madame Wenham, choquée d'une telle impolitesse, lance d'une voix réprobatrice :

— Mais... mais qu'est-ce que tu fais là, toi ? Voilà certes une intrusion inacceptable !

Mais Nat, peu impressionné, demande à sa sœur :

— As-tu fait des erreurs ?

— Mais ça suffit ! tonne l'enseignante. Retourne dans ta classe tout de suite !

Elle marche vers la porte. Et Nat, en voyant le regard furieux que lui décoche Rom, comprend qu'il est arrivé trop tard. Ses épaules s'affaissent tandis qu'il marmonne :

— Ho, non...

— Et considère-toi chanceux que je ne t'emmène pas chez la directrice ! fait l'enseignante.

Elle referme la porte d'un mouvement brusque.

Nat demeure de longues secondes devant la porte fermée, puis, lentement, il retourne vers sa classe, tremblant d'angoisse.

Que va-t-il arriver à Rom, maintenant ?

* * *

Dans l'autobus, Nat veut s'asseoir sur le même banc que sa sœur, mais cette dernière grogne :

— Va t'asseoir ailleurs !

— Il faut que je te parle, Rom...

La fillette tourne la tête vers la fenêtre sans ajouter un mot, pour bien montrer à son frère qu'elle le méprise. Nat s'assoit tout de même près d'elle et garde le silence un moment, mal à l'aise. L'autobus roule depuis plusieurs minutes dans la rue de la Rivière quand Nat ose enfin parler :

— Tu as fait des erreurs dans ton test oral ?

— Fais pas l'innocent, répond Rom. J'en ai fait deux et tu sais lesquelles.

— Tu… tu as mélangé Champlain et Cartier, c'est ça ?

— Tu as voulu te venger, hein ? crache la fillette. Tu es vraiment méchant ! Je vais le dire à papa et maman !

Elle regarde toujours par la fenêtre, boudeuse. Dans l'autobus, les autres enfants ne portent pas attention à eux, habitués qu'ils sont de les voir se disputer depuis quelques jours. Nat se passe une main dans les cheveux et, d'une voix qu'il veut calme, explique :

— Rom, je m'excuse, j'ai été très méchant et j'ai mal agi, je le sais et je te demande pardon. Mais… mais au début, je voulais juste te jouer un mauvais tour et là, ce matin, j'ai compris que ça risquait d'aller plus loin… J'ai peur qu'il t'arrive un malheur… Ben, deux malheurs, puisque tu as fait deux erreurs…

Rom se tourne vers lui, interrogatrice.

— De quoi tu parles, là ?

— Je parle de…

Il hésite. Elle va penser qu'il délire complètement. Tant pis, il doit le lui dire.

— J'ai remarqué qu'il arrive des malheurs à ceux qui font des erreurs durant les tests de madame Wenham.

— Quoi ?

— Anne-Lo a fait une erreur et un arbre lui est tombé dessus. Dom a fait trois erreurs et le chien lui a infligé trois blessures !

Rom le dévisage comme s'il avait perdu la raison, puis elle émet un rire sans joie.

— T'es fou, ou quoi ? C'est un hasard, c'est tout !

— Non, Rom. Les trois réponses du test de Dom correspondent aux...

— On est rendus ! le coupe Rom en se levant.

Elle s'empresse de sortir de l'autobus, toujours furieuse, et Nat l'imite. Dans la rue, la fillette marche d'un pas rapide vers la maison tandis que son frère, derrière, tente désespérément de lui expliquer :

— Rom, les trois réponses du test de Dom correspondent aux adresses et aux morsures ! Les adresses de...

Rom se retourne vivement :

— Je ne comprends rien à ce que tu racontes et je ne veux pas le savoir ! Je suis sûre que c'est encore un mauvais tour que tu veux me jouer ! Mais là, ça suffit ! Tu m'as eue une fois, tu ne m'auras pas deux fois ! C'est fini !

Elle arrive à la maison et marche vers la porte. Nat la suit, suppliant :

— Non, Rom, c'est pas des blagues, cette fois, je suis sérieux ! J'ai vraiment peur qu'il t'arrive quelque chose ! Écoute-moi !

Rom ouvre la porte, dépose son sac d'école dans l'entrée et crie vers l'intérieur de la maison :

— P'pa ! Je vais aller jouer avec mes amies !

— D'accord ! répond la voix lointaine de Papa Pat.

Rom repart vers la rue. Nat lance aussi son sac dans la maison puis se remet à suivre sa sœur, tout en insistant :

— Rom, l'arbre qui est tombé sur Anne-Lo ! Tu te rappelles c'était quoi ?

— Laisse-moi tranquille ! crie la fillette en se retournant. Sinon, je hurle et je vais tout raconter tout de suite à papa !

Nat s'immobilise, impuissant. Sa sœur marche vers la maison d'Aria, au coin de la rue. Il ne peut pas la laisser seule, sinon il va lui arriver quelque chose !

Il a une idée : il va la suivre en cachette. Comme ça, il pourra la surveiller sans qu'elle le sache et il pourra la protéger en cas de danger. Et ce soir, quand elle sera plus calme, il pourra tout lui expliquer. Elle n'aura pas le choix de l'écouter.

Nat attend donc quelques secondes avant de commencer à suivre sa sœur à distance, en se cachant derrière les voitures stationnées et les buissons des maisons. Une ou deux fois, Rom jette un œil derrière elle mais ne voit pas son frère, qui se dissimule avec adresse. La fillette s'approche d'Aria qui joue avec Juliette. Les trois enfants parlent un moment. Nat est trop loin pour entendre leur discussion mais en se fiant aux expressions irritées des deux voisines et au visage déçu de Rom, il comprend qu'Aria et

Juliette repoussent sa sœur. Cette dernière s'éloigne, la tête basse. Elle marche vers l'autre bout de la rue et Nat poursuit sa filature. Il se demande quel genre de malheur risque de s'abattre sur Rom, un malheur qui aurait un lien avec les deux réponses fautives qu'elle a données. Il a beau réfléchir, il ne trouve pas. Peut-être qu'il se fait des idées, après tout…

Le ciel est couvert de lourds nuages et le vent, malgré son peu de puissance, est mordant. Rom ne semble aller nulle part en particulier. Elle doit seulement broyer du noir, en se demandant pourquoi ses amies ne veulent plus jouer avec elle. Peut-être se rend-elle compte que, depuis quelque temps, elle et son frère se vantent trop… Elle tourne au hasard dans la rue qui mène vers le nouveau quartier en construction. Nat continue de la suivre en se cachant. Dans les rues flanquées de maisons en construction, il n'y a que des tas de terre, des camions vides et des planches qui traînent partout. Rom erre en fixant le sol tristement. Elle finit par s'arrêter et regarder autour d'elle, désorientée. Nat, caché derrière un camion, comprend : sa sœur vient s'en doute de se rendre compte qu'elle est dans le nouveau quartier et qu'il n'y a donc rien à faire ici. Distraitement, Nat regarde vers le panneau indicateur à l'intersection et lit les noms des deux nouvelles rues qui se croisent : rue Champlain et rue Cartier.

Frappé en plein cœur, Nat sort de sa cachette et, courant vers sa sœur, lui hurle :

— Rom ! Il faut partir !

Surprise, Rom se retourne et la tristesse sur son visage fait place à la colère.

— Tu m'as suivie !

— Viens, Rom, sinon il risque de t'arriver quelque chose ici !

— Laisse-moi tranquille !

Elle enfonce sa tuque sur sa tête puis se met en marche vers un grand champ. Elle ne veut aller nulle part en particulier, elle veut juste s'éloigner de son frère.

— Reviens, Rom ! répète Nat en marchant vers le trottoir.

— Je t'ai dit de me laisser tranquille !

Sans se retourner, elle effectue de grands pas toujours dans le grand champ recouvert de mauvaises herbes, d'outils éparpillés et de planches cassées. Nat a un pressentiment, un *très mauvais* pressentiment.

— Rom !

Au même moment, la fillette s'arrête net et se raidit, comme si une décharge électrique venait de lui traverser le corps. Puis, elle pousse un long hurlement de souffrance, qui paralyse Nat d'effroi. Ça y est, il s'est passé quelque chose, mais quoi ?

— Rom ! Rom, qu'est-ce qui se passe ?

Toujours de dos et sans cesser de crier, Rom lève son pied droit : une planche est collée sous sa botte. En fait, non, elle n'est pas collée, elle est... *clouée* ! Le garçon s'élance, court dans le champ rempli de clous et de vis, mais il s'en moque, il ne veut que venir en aide à Rom, parce que c'est de sa faute, c'est de sa faute à lui si ce malheur arrive, si sa petite sœur souffre en ce moment !

Rom, qui n'en peut plus de se tenir sur une jambe, bascule sur le côté et tombe dans les mauvaises herbes. Nat arrive juste à ce moment, s'agenouille près d'elle et la prend par les épaules.

— Je suis là, Rom ! Je suis là !

Rom pleure contre son frère en désignant d'une main tremblante sa botte droite :

— Mon pied, Nat ! Mon... mon pied !

Deux gros clous rouillés émergent de la planche... et ces deux clous sont enfoncés dans le pied de Rom ! Le garçon, horrifié, distingue même l'extrémité d'une des deux pointes qui surgit de l'autre côté de la botte !

Nat réfléchit à toute vitesse : s'il enlève la planche, cela risque de faire encore plus mal à Rom. Mais avec une planche clouée au pied, elle ne pourra pas marcher jusqu'à la maison ! Que faire, mon Dieu, que faire ? Et la nuit qui va tomber bientôt ! Nat console sa sœur qui n'arrête pas de pleurer.

— Je m'excuse, Rom ! gémit-il. C'est de ma faute, je m'excuse !

Il regarde partout autour de lui, éperdu, lui-même sur le point d'éclater en sanglots. Là-bas, une jeep de compagnie privée roule dans la rue : un dernier ouvrier qui retourne à la maison ! Nat lève les bras et crie :

— Hé ! Au secours ! Hé, par ici !

Le conducteur de la jeep ne semble pas le voir ni l'entendre. Nat, toujours agenouillé près de sa sœur, attrape un gros caillou et le lance de toutes ses forces. Le projectile rebondit contre le capot en émettant un bruit de métal. Le véhicule s'arrête et le conducteur en sort, surpris. Il voit les deux enfants et leur crie :

— C'est vous autres qui avez lancé une roche sur ma jeep ? Et puis, qu'est-ce vous faites là ?

Lorsqu'il voit la fillette pleurer, étendue sur les genoux de son frère, l'homme finit par comprendre. Il court vers eux en criant :

— Bougez pas, j'arrive !

Nat ferme les yeux et soupire, rassuré. Mais dans sa tête, les mêmes mots tournoient en une danse frénétique.

Deux clous... Deux blessures... Deux erreurs au test oral...

* * *

À l'hôpital, les médecins se sont empressés d'examiner le pied de Rom: effectivement, deux clous rouillés lui ont traversé le pied de part en part. Comme le pied a beaucoup trop enflé, le docteur a expliqué à Papa Pat, Mère Sof et Nat qu'il y avait une infection de l'os. Il devait donc opérer. Devant l'inquiétude des parents, il s'est hâté de les rassurer:

—Ce n'est pas une intervention compliquée, ne vous inquiétez pas. Mais après l'opération, nous allons la garder sous observation quelques jours.

Durant l'opération, Nat et ses parents attendent dans une petite salle. Papa Pat, qui est debout près d'une fenêtre et qui fixe la nuit en silence, soupire et lance sur un ton excédé[5]:

—Quelle idée, aussi, d'aller se promener dans un champ plein de clous! Qu'est-ce que vous faisiez, tous les deux, dans ce nouveau quartier où il n'y a personne!

Nat, assis près de sa mère, les bras entre les jambes, a le visage complètement éteint et marmonne:

—C'est de ma faute...

Mère Sof le prend par les épaules:

—Mais non, mon grand, ne te mets pas ça sur le dos, voyons...

---

5. Irrité, impatient.

— C'est correct, Nat, on ne t'en veut pas...

Nat se mord les lèvres. Ils ne comprennent évidemment pas. Mais il n'ose pas leur expliquer. De toute façon, croiraient-ils à cette histoire abracadabrante[6] ? Il se contente donc de se taire et de mijoter en silence dans sa culpabilité...

Vers vingt-deux heures, le docteur revient les voir, satisfait :

— L'opération s'est bien déroulée. Elle va être sous antibiotique par intraveineuse. Elle a un beau bandage au pied. Dans quatre jours, elle pourra sortir de l'hôpital. Pour l'instant, elle dort profondément, vous ne pourrez lui parler que demain matin.

Les parents sont rassurés. Mère Sof dit qu'elle va rester ici cette nuit et propose à Papa Pat de retourner avec Nat à la maison. Le garçon s'oppose, dit qu'il veut rester aussi : demain, c'est samedi, donc il peut se coucher tard. Mais ses parents décrètent que ce n'est pas raisonnable.

— Nous reviendrons demain matin pour remplacer maman, propose Papa Pat.

Nat n'insiste pas.

Une heure plus tard, Nat est couché dans son lit mais n'arrive pas à dormir, trop rongé par les remords.

---

6. Incroyable, bizarre, farfelue.

Chapitre 6

Concertation[1]

Le ciel est couvert. Nat et Papa Pat partent de la maison vers dix heures et, comme l'hôpital n'est pas très loin, ils y arrivent en quelques minutes. Dans la chambre de Rom, Mère Sof est assise près du lit et sourit à son conjoint et à son fils qui entrent :

— Elle est réveillée. Elle se sent bien.

Rom, couchée dans le lit, est un peu pâle mais effectivement paraît bien récupérer. Son bras est branché à un soluté près du lit. Elle sourit tandis que Papa Pat l'embrasse.

— Maman a dit qu'à cause de ma blessure, on ne pourra pas aller voir cousin Ben à Drummondville, en fin de semaine, dit la fillette d'une voix boudeuse.

Papa Pat lève un sac en clamant, tout excité :

— C'est pas grave, j'ai apporté des jeux de société ! On ne s'ennuiera pas !

Plus sérieux, il demande à sa fille comment elle va.

1. Discussions en vue d'un accord.

— J'ai un gros bandage. Regarde.

Son pied est en effet tout emmitouflé dans une large bandelette blanche. Le médecin lui a dit qu'elle pourrait sortir de l'hôpital mardi mais qu'elle devrait marcher avec des béquilles. Tandis qu'elle parle, Nat ne dit pas un mot. De temps en temps, Rom lui lance un regard plein de sous-entendus, mais elle ne dit rien, comme si elle attendait d'être seule avec son frère. À un moment, Mère Sof annonce qu'elle va descendre se chercher un café et Papa Pat décide de l'accompagner.

— Tiens compagnie à ta sœur, dit-il en marchant vers la porte. Et profitez-en donc pour régler votre petite guerre ridicule et faire la paix !

Une fois les parents sortis, Nat, assis près du lit, demeure un long moment à fixer le sol, se sentant trop coupable pour affronter le regard de sa sœur. Mais cette dernière garde le silence et le garçon finit par comprendre que c'est à lui de briser la glace. Il s'humecte les lèvres et marmonne :

— Je m'excuse, Rom.

Il ose lever la tête. Rom, le visage sévère, parle enfin :

— Quand tu m'as expliqué hier qu'il arrivait des accidents à tous ceux qui faisaient des fautes dans le test de madame Wenham, je ne te croyais pas. Mais maintenant qu'il m'est arrivé malheur à moi aussi, je suis toute mêlée, je ne sais plus quoi penser. En plus, je ne vois pas le rapport entre les deux fautes de mon test et mes blessures au pied.

Nat s'humecte les lèvres et lui dit que son « accident » est arrivé au coin des rues Champlain et Cartier. Rom est consternée[2].

— C'est tellement incroyable, je... je sais pas si je peux croire ça... Et toi, tu m'as donné deux mauvais renseignements en sachant ce qui pouvait m'arriver ?

— Non, non ! Quand je t'ai donné les mauvaises réponses, je ne savais pas encore tout ça, je voulais juste me venger à cause de notre petite guerre niaiseuse de vedettes ! Je le-le-le...

Il serre les dents et se donne un petit coup de poing sur le genou pour se calmer, puis, sans bégayer cette fois, poursuit :

— Je le regrette tellement, Rom, si tu savais ! Et je vais tout faire pour me racheter, tu vas voir !

Il se retient pour ne pas pleurer mais ne peut empêcher deux larmes de couler le long de ses joues. Sa sœur le considère avec un air terrible, mélange de colère, de crainte et de reproche. Nat ne dit rien, tel le prisonnier qui attend avec fatalisme la condamnation du juge. Rom réfléchit un bon moment, puis :

---

2. Atterrée, bouleversée.

— OK, Nat, je te crois : ça ne peut pas être juste des hasards : madame Wenham est responsable de ce qui est arrivé à Anne-Lo, à Dom et à moi.

Nat se laisse tomber sur la chaise en hochant la tête de contentement.

Quand leur père et leur mère reviennent, les deux enfants leur annoncent qu'ils ont quelque chose à leur dire. Rom commence :

— Écoutez, on pense que... on pense que ce n'est pas un hasard s'il est arrivé des accidents à moi et à deux autres élèves de ma classe. On pense que c'est à cause de madame Wenham.

Les deux parents haussent les sourcils de surprise. Nat poursuit :

— On pense qu'elle lance des malédictions aux élèves qui font des fautes.

— Comme... comme une sorcière, ajoute Rom.

Cette fois, les parents se fâchent : comment peuvent-ils raconter des histoires aussi incroyables ? Mère Sof dit :

— Je sais, Rom, que tu aimes beaucoup madame Laura et que tu trouves cette madame Wenham très sévère, mais ce n'est pas une raison pour inventer de telles méchancetés sur elle !

— Mais ça n'a aucun rapport ! réplique Rom. Il y a des hasards trop incroyables, comme...

— Ça suffit ! intervient Papa Pat. Vous avez vraiment trop d'imagination !

Un peu découragés par cette réaction, Nat et Rom n'insistent pas.

Peu après, les parents sortent à nouveau un moment de la chambre et, seul avec sa sœur, Nat soupire :

— Ils ne nous croient pas ! Et je suis sûr que la directrice de l'école non plus ne nous croirait pas si on allait tout lui raconter.

— T'as raison. Il va falloir qu'on se débrouille seuls.

Là-dessus, une lueur complice traverse son regard. Nat esquisse un sourire empreint d'espoir :

— Alors, on fait équipe comme avant, la sœur ?

Rom sourit à son tour :

— Comme avant, le frère.

* * *

Peu après, Nat retourne à la maison avec sa mère. Il fait ses devoirs et écoute la télé, mais il a la tête ailleurs. À un moment, Mère Sof vient le voir et lui dit :

— On va retourner à l'hôpital dans une heure, environ. Va donc jouer dehors, il fait tellement beau !

Nat obéit et sort. Il marche dans la rue, songeur, puis tombe sur Andy, Willy, Charlot et Fred qui jouent aux monstres dans le parc. C'est un des jeux préférés de Nat. Mais ses amis vont-ils encore le rejeter ? Timidement, les mains dans les poches, il les observe courir, grogner et rire, puis il demande timidement :

— Je peux jouer avec vous autres ?

Les garçons s'arrêtent, puis s'interrogent du regard. Nat ajoute sur un ton d'excuse :

— Je ne veux pas vous parler de moi, ni de mes exploits, ni de rien de tout ça. Je veux juste jouer avec mes amis.

Charlot hausse une épaule et, avec un petit sourire, dit :

— On va te donner une chance, Nat. Viens-t'en !

Pendant une heure, Nat s'amuse avec ses copains, et durant tout ce temps, il est si heureux qu'il réussit presque à oublier ses problèmes. Puis, sa mère vient le chercher en voiture. En marchant vers le véhicule, il salue les garçons et ceux-ci lui envoient la main, tandis qu'Andy dit :

— C'était *cool*, Nat !

Nat est heureux : il a retrouvé ses amis.

Plus tard, à l'hôpital, Nat et ses parents soupent à la cafétéria. Le garçon s'empresse de terminer de manger puis remonte seul dans la chambre de sa sœur. Assise dans son lit, Rom termine son dessert.

— J'espère que votre bouffe était meilleure que la mienne ! Beurk ! Je pense que je m'ennuie même des champignons de maman !

—Moi, après la viande crue que nous servait le bonhomme Sept-Heures, je peux tout manger[3] !

Ils gloussent tous les deux. Puis, plus sérieux, Nat s'assoit et, les mains croisées entre ses cuisses, commence :

—Il faut découvrir comment madame Wenham s'y prend pour lancer des malédictions aux élèves. Tu n'as rien remarqué de bizarre, pendant que vous passez votre test oral ?

Rom renonce à terminer son ignoble jello, repousse son plateau et, songeuse, répond :

—Attends que j'y pense... Hmmm... Pendant qu'elle nous pose les questions, elle se tient debout, les mains croisées dans le dos... Elle ne bouge pas, elle fait juste nous poser les questions.

—Elle ne fait aucun geste ? Elle ne répète aucune phrase ?

—Non... Je ne pense pas...

—Essaie de te rappeler ce qu'elle fait *exactement.*

Rom se redresse légèrement dans son lit et plisse les yeux, comme si cela l'aidait à réfléchir.

—Eh ben... Pour commencer, elle nous raconte sa blague du début de journée. C'est toujours une farce plate, qu'on ne trouve jamais drôle... Ensuite, elle nous donne toutes sortes d'informations sur la date du jour : les saints de la journée, les événements

3. Voir *Sept comme Setteur.*

historiques importants... Elle trouve toutes ces informations dans un gros livre sur son bureau, le *Calendrier encyclopédique.* Ensuite, elle nomme l'élève qui fera le test oral. Elle lui pose les questions du test... et c'est tout. Le reste de la journée, on apprend des nouvelles affaires, comme dans toutes les classes. Rien de spécial ou de magique là-dedans.

Nat refuse de se décourager:

—Pendant qu'elle fait passer le test, elle n'a pas un accessoire, ou quelque chose du genre?

—Un accessoire? Non... Elle a une bague en forme d'étoile à son index droit... Elle a aussi des lunettes... Je me demande bien pourquoi elle en possède, elles pendent toujours à son cou et elle ne les met jamais sur son nez.

Elle fronce tout à coup les sourcils et lève un doigt en l'air, comme si quelque pensée se frayait lentement un chemin dans son cerveau. La voix lente, elle marmonne:

—Non, c'est pas tout à fait vrai...

Nat avance la tête, attentif. Rom poursuit:

—J'ai remarqué que les seules fois où elle met ses lunettes, c'est quand l'élève qui passe le test fait une erreur. Je trouvais ça pas mal étrange.

—Elle vérifie peut-être la bonne réponse dans un livre?

—Non, non, pas du tout! Elle met juste ses lunettes pour regarder l'élève et lui donner la bonne réponse.

Tout à coup, elle comprend et s'écrie:

—C'est ça! Les lunettes lancent une malédiction à la personne vers qui elles sont dirigées!

—Une malédiction qui a un rapport avec les erreurs faites par l'élève! complète Nat.

Le frère et la sœur exultent[4] littéralement.

—Il va falloir que je trouve le moyen de lui voler ses lunettes, décide Nat. Pour ne plus qu'elle les utilise! Il faut le faire avant lundi, avant qu'il y ait une autre victime!

—Et tu vas les voler comment?

Nat n'a pas de réponse à cela. À ce moment, leurs parents rentrent dans la chambre.

—C'est le plus horrible repas de toute ma vie! rigole Papa Pat. Même dans mes romans, je n'ai jamais osé faire manger de telles horreurs à mes personnages!

—Eh bien, ça te donnera des idées pour tes prochains livres, réplique Mère Sof sur le même ton amusé...

Un peu plus tard, Nat va se promener seul dans le couloir pour réfléchir. Il doit trouver l'adresse de

---

4. Jubilent, se réjouissent.

madame Wenham, pour aller voler ses lunettes dans sa maison. Cette éventualité le fait légèrement frissonner. Si cette femme est une sorte de sorcière, cette mission risque d'être vraiment dangereuse. Cette fois, il admet qu'il a peur.

Tout à coup, il voit au milieu du couloir deux enfants de son âge qui discutent : une fillette dans un fauteuil roulant, la jambe droite dans un plâtre, et un garçon debout en béquilles, avec des pansements à la cuisse, au bras et au visage. Nat reconnaît Anne-Lo et Dom. Content, il s'approche d'eux en les saluant. Les deux enfants le reconnaissent aussi et lui sourient.

— Comment vous allez ? demande Nat.

— Je vais pouvoir retourner à l'école en béquilles mardi, fait Anne-Lo. J'ai hâte de sortir d'ici, je t'avoue !

— Moi, il faut que je reste encore cinq jours, le temps d'enlever les pansements, répond Dom. Mais je n'ai plus mal. Et le docteur m'a dit que la cicatrice sur ma joue serait très peu visible.

— Tant mieux, fait Nat.

— Tu veux signer mon plâtre ? demande Anne-Lo, en lui tendant un stylo-feutre.

Nat accepte, se penche et inscrit « Salut, Anne-Lo ! » sur le plâtre. Quand il se relève, la fillette demande ce qu'il fait ici et il explique que sa sœur s'est blessée au pied. Mais il les rassure : tout va bien, maintenant.

—C'est vraiment la semaine des accidents ! lance Dom d'un air attristé.

—Et ça arrive juste à du monde de notre classe, en plus ! ajoute Anne-Lo. C'est vraiment *poche*.

Nat avale sa salive. Devrait-il leur dire la vérité sur ce qui se passe ? Anne-Lo dit :

—J'ai hâte de sortir d'ici, mais j'ai pas vraiment hâte de revoir madame Wenham !

—Moi non plus, avoue Dom. Je l'aime pas beaucoup. Je la trouve trop sérieuse et trop sévère. Si tu l'avais, Nat, tu comprendrais ce qu'on veut dire.

—Ho ! mais je comprends très bien : ma sœur m'a raconté comment elle est. Rom non plus ne l'aime pas tellement.

Nat songe à nouveau à tout leur raconter, puis repousse cette idée. Il risquerait de créer la panique ou la peur inutilement. Dom ajoute en grimaçant :

—Quand je pense qu'on va l'avoir comme prof jusqu'à la fin de l'année !

Anne-Lo a aussi une moue découragée. Nat garde le silence, mais dans son for intérieur, il se dit que Rom et lui doivent absolument trouver une solution pour mettre cette harpie[5] hors d'état de nuire.

---

5. Sorcière.

Chapitre 7

Dans l'antre[1] de la bête

Dimanche matin. Il fait froid, mais le soleil est splendide. À la maison, autour du déjeuner, il n'y a que Nat et Mère Sof car Papa Pat a passé la nuit à l'hôpital avec Rom. En terminant son café, maman regarde l'heure et annonce:

—Il est neuf heures. Dans une heure, on retourne à l'hôpital, ça te va?

Mais Nat veut voir sa sœur au plus vite pour lui expliquer qu'hier soir, il n'a pas pu trouver l'adresse de madame Wenham, ni dans l'annuaire téléphonique, ni sur Internet.

—J'aimerais y aller toute de suite, dit le garçon, la bouche pleine de morceaux de croissants. Je pourrais y aller en vélo.

Sa mère hésite: il fait froid, non? Mais Nat dit qu'il veut profiter de sa bicyclette au maximum avant que la neige arrive. Mère Sof n'est pas convaincue: c'est vrai que l'hôpital n'est pas bien

1. Repaire.

loin, mais il faut tout de même longer le boulevard Laurin...

— Mais on n'a pas à le traverser! insiste Nat. Allez, maman, j'ai dix ans, je suis assez grand!

Mère Sof a un petite moue, mi-amusée, mi-inquiète, puis:

— Bon, d'accord. Je suis sûre que papa serait d'accord de toute façon.

— Papa, il serait d'accord pour que j'aille à Montréal en vélo!

— Là, tu charries un peu, rétorque Mère Sof en allant déposer son assiette dans l'évier. Tu diras à Rom et papa que je vais être là vers dix heures. Et habille-toi chaudement: il fait soleil, mais c'est quand même froid.

Nat embrasse sa mère en la remerciant, s'empresse de se brosser les dents puis de s'habiller. Dix minutes plus tard, la tuque enfoncée sur la tête et les mains protégées par ses gants, il pédale vers le boulevard Laurin.

* * *

Le dos appuyé sur deux oreillers, Rom est seule dans sa chambre, à lire un bouquin.

— Même à l'hôpital, tu continues à exercer ton cerveau... C'est très bien.

Rom tourne la tête, surprise par cette voix qui lui rappelle quelqu'un. En apercevant la femme qui se tient dans l'entrée de la chambre, elle sent un long frisson de stupéfaction lui traverser tout le corps: c'est madame Wenham ! Sous son manteau détaché, elle porte le même tailleur gris que d'habitude et ses cheveux sont attachés en chignon comme toujours. Elle tient un sac et avance dans la chambre en disant:

—Certes, c'est un livre léger et de pur divertissement, mais au moins tu lis. C'est l'essentiel.

Rom n'arrive pas à prononcer un seul mot, trop prise au dépourvu par la présence de cette femme. Madame Wenham s'immobilise près du lit et la fillette remarque qu'elle n'a pas ses lunettes suspendues à son cou. L'enseignante sourit, un sourire froid.

—D'ailleurs, ça ne m'étonne pas. Tu es une jeune fille brillante, je l'ai compris très vite. Une forte tête, certes, mais intelligente. J'étais même convaincue que tu allais réussir tout le test sans aucune faute. J'ai été très surprise par tes deux erreurs: mélanger Champlain et Cartier, c'est plutôt décevant.

Rom avale sa salive et dit:

—Tout le monde peut se tromper...

Le visage de madame Wenham se durcit tout à coup.

—C'est ça, le problème: tout le monde *croit* qu'on peut se tromper. Mais c'est faux! On va à l'école pour apprendre, pour tout connaître et ne plus faire d'erreurs dans la vie ! Et si on veut devenir parfait, il faut apprendre de ses erreurs ! Mais on dirait que je suis la seule à comprendre ça ! Toutes les écoles où j'ai travaillé ont fini par me mettre à la porte parce qu'on me trouvait trop sévère, mais ce sont les directions de ces écoles qui avaient tort ! Toutes !

— On ne peut pas être parfait, réplique Rom d'une petite voix qu'elle tente de ne pas faire trembler. Mon père et ma mère me disent que ça n'existe pas, la perfection. Et madame Laura nous le disait aussi !

— Madame Laura disait cela parce qu'elle était loin d'être parfaite elle-même !

— Qu'est-ce que vous en savez ? Vous ne la connaissez même pas !

— Tu te trompes ! Quelques jours avant son accident, elle suivait des cours de perfectionnement en français, le soir... Et devine qui était son enseignante ?

Rom ouvre grand la bouche, incrédule. Madame Wenham hoche furieusement la tête :

— Oui, c'était moi ! Et il lui arrivait de faire des fautes, à ta chère madame Laura ! Elle a donc dû en subir les conséquences !

Rom n'arrive pas à y croire. Madame Wenham, dont les traits se durcissent de plus en plus, poursuit :

— La perfection existe, ma petite ! C'est ce que ma mère à moi m'a appris ! Elle était exigeante, certes, et chaque fois que je commettais une erreur, j'en subissais les terribles conséquences ! Mais grâce à elle, je ne fais plus d'erreurs, maintenant ! Jamais ! C'était une grande sor...

Elle se tait, comme si elle réalisait qu'elle se révélait trop, et serre les dents. Rom devine ce qu'elle allait dire : que sa mère était une grande *sorcière*. Cette fois, c'est un véritable spasme de peur qui secoue la fillette. L'enseignante replace vivement une mèche de cheveux roux qui dépassait du chignon, puis sort des cahiers de son sac en expliquant calmement :

— Je suis venue à l'hôpital pour vous apporter, à toi et aux deux autres élèves blessés, vos devoirs et leçons de la semaine. Certes, vous êtes en convalescence, mais ce n'est pas une raison pour cesser tout apprentissage, n'est-ce pas ?

Elle dépose les cahiers sur une petite table. Rom demande alors, soufflée par sa propre audace :

— Vous n'avez pas vos lunettes, aujourd'hui ?

Madame Wenham, d'abord surprise, fronce les sourcils avec méfiance. Rom se mord les lèvres, comme si elle regrettait sa question.

— J'en ai besoin seulement à l'école, marmonne l'enseignante. Pourquoi tu me parles de mes lunettes ?

Rom ne répond rien, effrayée. Et la peur en elle monte d'un cran lorsque la femme se penche vers elle, l'air menaçant.

— Qu'est-ce que tu sais sur ces lunettes, petite curieuse ?

Rom se ratatine dans son lit, le souffle court. Que va-t-elle lui faire, au juste ? Oserait-elle l'attaquer dans cet hôpital ? Là, maintenant ? Son visage crispé tout près de celui de la fillette, madame Wenham croasse :

— Qu'est-ce que tu sais sur *moi* ?

Le souffle court, Rom, d'une toute petite voix, réussit à articuler :

— Mon père va monter d'une minute à l'autre...

Madame Wenham cligne des yeux, comme si elle se rappelait où elle se trouvait, puis recule lentement, contrariée. Elle se contente de dire d'une voix sèche :

— Récupère vite, que tu puisses revenir en classe.

Et elle marche vers la porte de la chambre. Quand elle sort, Rom ne peut s'empêcher de pousser un profond soupir de soulagement.

* * *

Madame Wenham traverse le couloir de l'hôpital, marche vers les deux ascenseurs et entre dans celui de droite. Au moment même où la porte se referme, l'ascenseur de gauche s'ouvre et Nat en sort. Il entre dans la chambre de sa sœur en lançant joyeusement :

— Salut, la sœur ! Je viens de croiser papa en bas, à...

— Nat ! Madame Wenham vient juste de sortir de ma chambre !

Le garçon s'immobilise, pris de court, puis, après avoir réfléchi à toute vitesse, s'exclame :

— Je vais la suivre !

Il tourne les talons et Rom le prévient dans son dos :

— Sois prudent !

Comme Nat ne veut pas attendre l'ascenseur, il dévale l'escalier comme une fusée. Alors qu'il se précipite vers la sortie de l'immeuble, il entend son père l'appeler derrière :

— Hé, Nat, tu vas où ?

— Heu... Je-je-je reviens plus tard, je vais étudier à la maison ! Maman devrait être ici dans-dans-dans une demi-heure !

— Mais... tu viens d'arriver !

Nat ne répond même pas et se retrouve dehors. Il cherche partout, fiévreux, puis voit enfin madame Wenham, au loin, qui monte dans une voiture rouge. Nat court vers son vélo, enlève la chaîne de sécurité qu'il roule autour de la tige de la selle, puis s'installe. Le véhicule rouge passe devant lui puis sort du stationnement. Nat pédale dans sa direction. Mais aussitôt qu'elle arrive sur le boulevard Laurin, la voiture accélère et disparaît du champ de vision du garçon. Nat n'arrivera jamais à suivre une automobile qui roule à 50 kilomètres-heure ! Il redouble de vitesse, découragé, mais au bout de vingt secondes, il atteint un feu rouge où cinq automobiles attendent... dont la voiture de madame Wenham. Rassuré, il s'arrête sur le trottoir et reprend son souffle.

La chance est avec Nat : lorsque le feu passe au vert, l'automobile de l'enseignante, au lieu de poursuivre son chemin sur le boulevard, tourne dans une petite rue résidentielle où on ne peut rouler qu'à vitesse réduite. Ce sera plus facile de la suivre ainsi. Nat veut traverser le boulevard, mais il s'arrête en apercevant un camion arriver à toute vitesse. Le véhicule passe comme une flèche devant Nat : c'est encore ce camion de la *Coutellerie Lelong* ! Ce satané conducteur est vraiment un danger public ! Une fois le camion passé, Nat traverse le boulevard et s'engage dans la rue résidentielle.

La voiture de madame Wenham roule lentement et Nat la suit à bonne distance. L'automobile tourne au bout de la rue et le garçon accélère son coup de pédale. Quand il tourne à son tour, la voiture est en train de se stationner dans l'entrée d'une petite maison pas très loin. Nat, essoufflé, s'arrête à bonne distance pour ne pas être vu. Madame Wenham sort du véhicule et marche vers la maison. Maison qui, d'ailleurs, étonne Nat : coquette, fraîchement repeinte, des fleurs bien entretenues tout autour et un gazon bien coupé. Le garçon s'attendait à voir un vrai repaire de sorcière, laid et sinistre. Mais après tout, c'est logique : madame Wenham est une maniaque de la perfection, elle a donc une maison fidèle à cette image.

L'enseignante déverrouille sa porte puis entre chez elle. Nat s'approche un peu, appuie son vélo contre un poteau de téléphone et traverse la rue, en se demandant ce qu'il cherche exactement. Maintenant qu'elle est chez elle, madame Wenham n'a sans doute pas verrouillé sa porte. Mais il ne va quand même pas entrer pendant qu'elle est là, ce serait se jeter dans la gueule du loup !

Personne dans les alentours. Nat s'approche de la maison et, après s'être assuré que la femme ne regarde pas par la fenêtre, se dirige vers l'arrière de l'habitation. Dans la cour, le terrain est parsemé de buissons et de plantes bien entretenues. Dans un coin se dresse une petite remise et sur la façade arrière de la maison se découpe une porte. Nat se gratte la tête. Que faire, au juste ?

Tout à coup, la poignée de la porte arrière se met à tourner. Nat se jette à plat ventre derrière un buisson. Madame Wenham sort, affublée d'une salopette bleue sous son manteau. Elle va sans doute fermer son jardin pour l'hiver. Comme pour confirmer cette idée, l'enseignante se dirige vers la remise, dans laquelle elle disparaît.

C'est le moment.

Rapidement mais sans faire de bruit, Nat se précipite vers la porte arrière de la maison, tout en jetant des coups d'œil angoissés vers la remise. Madame Wenham est toujours à l'intérieur et ne peut le voir. Nat franchit la porte, puis la referme derrière lui.

Il est entré ! Il est dans la maison de la terrible femme !

Il effectue quelques pas : cuisine bien rangée aux couleurs douces, salon avec tapisserie propre et meubles de bon goût. Une maison tout à fait normale, ce qui déconcerte Nat. Il se secoue : il est ici pour trouver les lunettes, pas pour écrire une chronique de décoration intérieure ! Il jette un regard par la fenêtre arrière : madame Wenham est en train d'installer des treillis autour de ses arbustes. Parfait. Le garçon fouille dans la cuisine et le salon : pas de lunettes. Il entre dans une autre pièce, la chambre à coucher. Grand lit qui semble confortable, table de chevet, armoire... Rien d'anormal. Mais aucune paire de lunettes nulle part. Sur le mur, il y a un grand cadre. Le garçon s'approche, curieux.

Il s'agit d'une photo. Une fillette d'environ dix ans est assise sur une chaise et Nat reconnaît madame Wenham enfant. Derrière elle se tient une dame d'environ trente-cinq ans, qui ressemble vaguement à la madame Wenham d'aujourd'hui. Sans doute sa mère. Son visage est très rigide et sa main droite est posée sur l'épaule de l'enfant, dans un geste qui exprime plus le contrôle que la tendresse. La fillette, d'ailleurs, affiche une expression figée, par le respect mais aussi par la crainte.

Vaguement mal à l'aise devant cette photo, Nat sort de la chambre. Il entre dans une autre pièce.

Les murs sont rouges, un rouge agressant, comme le sang. Il y a un secrétaire en métal aux courbes étranges contre le mur et une grande bibliothèque en bois dans un coin, décorée de visages de démons et de gargouilles[2] grimaçantes. Une grande armoire trône dans un autre coin. Impressionné, Nat s'approche de la bibliothèque. Les simples titres des livres le font frissonner : *Sorts et malédictions, Encyclopédie des sortilèges, Toutes des sorcières, Magie blanche et noire...*

Plus aucun doute n'est possible, maintenant...

Sur le mur sont accrochés six ou sept cadres. Le premier est la photo d'une femme au visage impitoyable. Un nom est indiqué sous la dame : Jane Wenham. Il y a une femme différente dans chacun des autres cadres, avec un prénom différent mais toutes des Wenham, et les photos semblent de plus en plus récentes. L'avant-dernière représente la femme que Nat a vue dans la chambre à coucher, la

2. Gouttière sculptée, ornée de figures d'animaux ou de monstres.

mère de l'enseignante. Et la dernière photo est celle de madame Justine Wenham elle-même.

Nat comprend qu'il s'agit là des ancêtres du professeur de sa sœur.

Seraient-elles toutes des sorcières depuis plusieurs générations ?

La sueur commence à couler sur le front du garçon. Il ne doit pas demeurer ici trop longtemps. Il doit faire vite, sinon...

Là, sur le bureau ! Au milieu de plusieurs feuilles de papier ! Une paire de lunettes ! Les voilà !

Il s'apprête à les prendre quand un bruit l'arrête aussitôt : une porte qu'on ouvre. Madame Wenham rentre ! Nat est saisi de panique. Rapide comme l'éclair, il s'engouffre dans le placard. Il laisse la porte légèrement entrouverte afin de voir ce qui se passe de l'autre côté. S'il a de la chance, madame Wenham ne prendra qu'un verre d'eau et ressortira aussitôt.

Misère ! L'enseignante entre dans la pièce et il doit se couvrir la bouche pour ne pas crier. Si elle ouvre le placard, il est foutu ! Que ferait-elle si elle le capturait ? Elle le transformerait en crapaud ? Le mangerait tout cru ? Mais madame Wenham ne va pas au placard. Elle tient dans sa main une fleur étrange, qui provient sans doute d'un des arbustes de sa cour, et elle ouvre sa grande armoire. Nat, toujours l'œil collé à la mince fente, sent sa bouche s'assécher d'épouvante : l'armoire renferme une sorte de statue en pierre représentant un être au corps humain mais avec une tête immonde[3], mélange de bouc et de crâne de squelette. La terrible sculpture tend devant elle deux mains griffues à quatre doigts qui tiennent un plat noir en céramique. Madame Wenham dépose la plante dans ce plat, lève ses deux bras vers le ciel et commence à psalmodier[4] dans une langue inconnue, vaguement inquiétante, avec une voix rauque que Nat ne reconnaît pas :

— *Isgh'gr arlam, Zaboth. K'derty ousnahar'me fgr, Zaboth. Ho, Zaboth irh'... Zaboth irh'...*

Nat se dit qu'il s'agit sans doute là d'une langue de sorcière, un langage maléfique qui doit provoquer une magie quelconque. Comme pour lui donner raison, la plante entre les mains de la statue se met tout à coup à brûler d'une flamme bleutée, puis se consume en quelques secondes. Nat se mordille les lèvres d'angoisse. Si madame Wenham l'attrapait, est-ce qu'elle le réduirait en cendres comme cette plante ?

La sorcière referme l'armoire. Elle est sur le point de sortir lorsque Nat donne involontairement un coup de genou contre la paroi du placard. La sorcière s'arrête aussitôt et se retourne. Nat sent un souffle

3. Horrible.

4. Réciter un texte religieux, sacré.

glacial lui envahir la poitrine. Elle l'a entendu ! Est-ce qu'elle va...

Elle s'approche du placard, lentement, le regard noir. Elle tend la main et sa bague en forme d'étoile brille sous la lumière de l'ampoule du plafond. Dans une seconde, la sorcière va ouvrir la porte et découvrir le jeune espion ! Terrorisé, Nat recule au fond du placard, suant à grosses gouttes sous sa tuque. Il va se faire prendre et finir brûlé entre les mains de la terrible statue à tête de bouc !

Le téléphone sonne dans la cuisine. Contrariée, madame Wenham sort de la pièce pour aller répondre. D'abord rassuré, Nat s'empresse de sortir du placard. Il entend l'enseignante répondre au téléphone :

— Oui allô ?... Oui ?

Nat s'apprête à sortir mais se souvient de ce qu'il est venu faire. Il retourne vers le secrétaire : les lunettes sont toujours là. Il les prend rapidement, les range dans la poche de son manteau puis sort de la pièce. Madame Wenham, au salon, lui tourne le dos, le téléphone contre l'oreille. Il se cache derrière le comptoir de la cuisine et entend la femme qui dit :

— Non, je ne suis pas intéressée à m'abonner à votre journal... Non, ça ne m'intéresse pas, je vous dis... Et vous devriez revoir vos règles de français, jeune homme, vous faites beaucoup d'erreurs de langage...

Elle raccroche, puis retourne dans la pièce rouge. Nat, toujours caché, soupire intérieurement : il est sorti juste à temps ! Mais il entend madame Wenham quitter la pièce et il se fait tout petit derrière le comptoir. Que va-t-elle faire, maintenant ? Il risque un œil et la voit entrer dans sa chambre à coucher. Puis, il perçoit des sons qui ressemblent à ceux de quelqu'un qui se déshabille. Elle est sans doute en train de changer de vêtements. C'est le moment ou jamais !

Nat se dirige vers la porte avant de la maison, l'ouvre puis sort, tout en la refermant silencieusement derrière lui. En vitesse, il court vers son vélo de l'autre côté de la rue, monte dessus et pédale à toute vitesse, sans jeter un seul regard vers l'arrière. Son cœur bat la chamade : il l'a vraiment échappé belle !

Vingt minutes plus tard, à l'hôpital, il entre dans la chambre de sa sœur. Papa Pat et Mère Sof sont là, assis près du lit de Rom, et observent leur fils avec suspicion[5].

— Mais où tu étais ? demande Mère Sof.

— Il y a un petit devoir que je n'avais pas fini à la maison, répond Nat. Mais maintenant, c'est fait.

Il s'approche de sa sœur en disant :

— Salut, Rom.

---

5. Méfiance.

Il se penche pour l'embrasser et, en même temps, il lui marmonne à l'oreille :

— J'ai les lunettes.

Les yeux de Rom s'éclairent, mais aussitôt, elle lance un regard interrogateur à son frère, et celui-ci croit comprendre : et maintenant, comment se débarrasser de madame Wenham une fois pour toutes ?

Et Nat n'a toujours pas de solution à cela.

* * *

Ce soir-là, dans son lit, Nat ne dort toujours pas après plusieurs heures, le cerveau en ébullition. Bien sûr, il a volé ses lunettes et cela mettra la sorcière hors d'état de nuire quelque temps, mais si elle se procure de nouvelles lunettes, tout recommencera.

Nat se retourne dans son lit, réfléchissant intensément. En fait, ce qu'il faudrait, c'est que les maléfices qu'elle lance aux enfants se retournent contre elle. Pour lui prouver que la perfection n'existe pas, il faudrait lui démontrer qu'elle aussi peut se tromper. Mais comment ?

Nat se retourne encore, incapable de demeurer immobile plus de vingt secondes. Il tente de se rappeler toutes les informations que sa sœur lui a données sur l'enseignante. Nat, couché sur le dos, fronce les sourcils. Une sorte de brouillon d'idée commence à tournoyer dans sa tête.

« Elle donne des informations sur la date du jour. Des informations qu'elle trouve dans un grand livre… »

Nat se redresse dans son lit, droit comme un I, haletant de triomphe. Il vient de trouver comment combattre madame Wenham !

Chapitre 8

Le matin des longs couteaux

Il a fait froid, cette nuit, tellement que dans la cour d'école, ce matin, le concierge est en train de casser la glace devant la porte d'entrée. Cette fois, pas de doute: il va neiger d'une journée à l'autre.

Nat, en sortant de l'autobus, marche vers les balançoires et se dirige vers Jadou et Shana, deux filles dans la classe de Rom. Elles le regardent approcher, indifférentes.

—J'aimerais ça que vous alliez chercher tous les autres élèves de votre classe, explique Nat. J'ai quelque chose d'important à vous dire.

Les deux filles deviennent soupçonneuses.

—Pourquoi? demande Shana. Tu veux quoi, au juste?

—C'est grave, répond Nat. Très grave.

À contrecœur, les fillettes s'exécutent et vont rapatrier les autres enfants. Au bout de trois minutes, les vingt-trois élèves de la classe sont rassemblés dans un coin de la cour et Nat s'adresse à eux:

—On a juste dix minutes avant que la cloche sonne, alors je vais faire ça vite. Écoutez-moi comme il faut.

—Tu vas pas encore nous parler de tes exploits, j'espère! se moque un garçon. On commence à en avoir plein le dos que vous vous vantiez, ta sœur et toi!

—Rom est à l'hôpital, rétorque Nat. Elle s'est planté deux clous dans le pied.

Les enfants ouvrent de grands yeux. Nat ajoute:

—Trois enfants de votre classe qui se blessent en trois jours, vous ne trouvez pas ça étrange, comme hasard?

Personne ne répond, mais on voit bien que certains s'interrogent. Nat dit:

—C'est à cause de madame Wenham! C'est une sorcière!

Cette fois, tout le monde éclate de rire. Certains sont même sur le point de s'éloigner, mais Nat s'empresse d'ajouter:

—Attendez! Je vais vous le prouver!

Et il se met à raconter, fébrile: les accidents qui sont arrivés aux trois élèves sont en lien avec les fautes qu'ils ont commises durant leur test oral. Il explique ces liens avec tant de conviction que, peu à peu, les visages des enfants blêmissent et se crispent de peur. Maintenant, on ne rit plus de Nat et on le prend très au sérieux. Ce dernier conclut:

— Et je pense savoir comment madame Wenham s'y prend : Rom m'a dit que chaque fois qu'un élève faisait une faute, le professeur mettait ses lunettes, c'est vrai ?

— C'est vrai ! approuve une fillette, sidérée. Ce sont sûrement ses lunettes qui lancent un mauvais sort !

— Ça veut dire que si nous faisons des fautes, nous serons tous victimes d'accidents ? se lamente un garçon.

— C'est peut-être toi le prochain à passer le test ! Ou moi ! pleurniche presque une autre élève.

Avant que la panique ne se répande, Nat s'empresse d'enfouir sa main dans les poches de son manteau en proclamant :

— Non, elle ne pourra pas lancer de mauvais sorts ce matin ! Regardez !

Et il brandit les lunettes maléfiques. Tout le monde pousse un long soupir de soulagement. Nat précise :

— Mais d'ici quelques jours, elle aura sûrement de nouvelles lunettes, et tout recommencera. Il faut donc la mettre hors d'état de nuire de manière définitive, ce matin même !

— Mais comment ?

— J'ai eu une idée, fait Nat. Mais je vais avoir besoin de votre aide.

Il s'étonne de ce qu'il vient de dire : lui, besoin d'aide ? Alors qu'il y a trois jours à peine, il croyait qu'il pouvait tout accomplir en solo ? Il ajoute doucement, comme s'il se parlait à lui-même :

— Oui, j'ai besoin de vous. Seul, je n'y arriverai pas.

Les autres enfants hochent la tête : ils sont décidés à aider Nat. Ce dernier regarde vers la cour : madame Wenham, qui est la surveillante ce matin, déambule doucement, l'air contrarié. Elle doit se demander où elle a bien pu perdre ses lunettes. Nat baisse la voix :

— En plus, madame Wenham est surveillante de cour ce matin, ça va m'aider. Écoutez bien...

En deux minutes, il explique son plan. Les élèves semblent le trouver risqué, mais tous acceptent. Nat est satisfait :

— Parfait. La cloche va sonner dans deux minutes, je dois donc me dépêcher. Et n'oubliez pas : si ça ne fonctionne pas au départ, posez-lui des questions !

— Compte sur nous ! clament les enfants.

Nat court vers l'entrée de l'école, mais le concierge, qui est en train de casser la glace avec un couteau, lève la tête et l'interpelle :

— Hé, là ! La cloche ne sonne que dans deux minutes !

— Il faut vraiment que j'aille voir l'infirmière, monsieur Jutras, j'ai très mal au ventre, se met à gémir Nat. Je pense que je vais être malade !

— Bon, d'accord, vas-y ! Et essaie de ne pas vomir en chemin, sinon c'est moi qui vais devoir tout ramasser !

Nat entre, accroche son manteau et sa tuque à son crochet, puis traverse le couloir désert. Il monte l'escalier quatre à quatre et court dans un autre couloir vide. Il trouve la classe de sa sœur et entre. En vitesse, il va au bureau du professeur : le grand *Calendrier encyclopédique* est ouvert à la bonne date, le 5 novembre.

Nat entend la cloche sonner. Il prend le livre, puis examine la classe. Où pourrait-il se cacher ? Là, au fond de la pièce, il y a une grande bibliothèque qui n'est pas tout à fait contre le mur. Nat, toujours le livre entre les mains, s'y précipite. Il n'y a pas assez de place entre le meuble et le mur pour s'y glisser. Il dépose le *Calendrier encyclopédique* sur un pupitre puis commence à pousser sur la bibliothèque de toutes ses forces. Le meuble bouge, mais très peu. Nat entend les pas de plusieurs élèves, dans le couloir, qui s'approchent de plus en plus. Le garçon redouble d'effort et la bibliothèque se déplace d'une trentaine de centimètres. Nat reprend le livre et se cache derrière le meuble.

Au même moment, madame Wenham entre dans le local, tandis qu'on entend les élèves dans le couloir qui enlèvent leurs manteaux et leurs bottes. Nat, entre les bouquins alignés dans la bibliothèque, peut apercevoir le reste de la classe. L'enseignante fouille un peu partout, en grommelant d'agacement. Sans doute qu'elle cherche toujours ses lunettes. Puis, graduellement, les enfants commencent à entrer. Ils sont moins naturels que d'habitude, ne parlent presque pas. C'est normal: ils savent que Nat est caché quelque part dans la classe. Jadou vient s'asseoir au pupitre tout près de la bibliothèque et Nat lui marmonne:

—Je suis ici!

Jadou sursaute, tourne la tête vers la bibliothèque, mais Nat chuchote:

—Ne regarde pas par ici!

Jadou détourne ses yeux. Toute raide, elle demande nerveusement d'une voix basse:

—Tu as le livre?

—Oui. Jusqu'ici, tout va bien.

Tous les élèves sont maintenant assis. Devant la classe, madame Wenham, comme à son habitude, se regarde une seconde dans le petit miroir sur le mur, place son chignon, puis se tourne vers les enfants, l'air contrarié:

—Bon. Ce matin, il n'y aura pas de blague de début de journée. J'ai… J'ai perdu quelque chose et cela m'embête tellement que je n'ai certes pas la tête à rire. D'ailleurs, je ne pourrai pas faire passer le test oral aujourd'hui à l'un d'entre vous, car il me manque… quelque chose d'important. Nous allons donc tous nous exercer ensemble, et les vrais tests reprendront d'ici deux ou trois jours, le temps que je…

Mais elle ne complète pas sa phrase. Nat, toujours caché, devine ce qu'elle allait dire : « ... *le temps que je me procure de nouvelles lunettes* ».

Madame Wenham retrousse son nez.

— Vous êtes bizarres, ce matin. Vous avez l'air nerveux. Il se passe quelque chose ?

Les élèves ne réagissent pas, sur le qui-vive[6]. Nat s'impatiente. Qu'est-ce qu'ils attendent pour mettre le plan en marche ? Mimi lève enfin la main et demande d'une petite voix frémissante :

— Est-ce que vous allez nous apprendre des choses sur la date d'aujourd'hui, madame Wenham ? Comme d'habitude ?

Nat hoche la tête : parfait, c'est parti ! Madame Wenham approuve en marchant vers son bureau :

— Certes, certes ! Et je suis contente que vous le demandiez, car cela prouve que vous aimez apprendre de nouv...

Elle ne termine pas sa phrase et s'immobilise. Elle fixe son bureau avec perplexité[7], puis demande :

— Mais... où est mon *Calendrier encyclopédique* ?

Silence dans la classe. Madame Wenham fouille dans les étagères près du bureau, tout en grommelant :

6. Sur leurs gardes.
7. Doute, incertitude.

— Mais qu'est-ce que j'ai à tout égarer, ces temps-ci, c'est insensé !

Déconcertée, elle revient à son bureau et se gratte la tête en marmonnant :

— Il était ici, ce matin, quand je suis venue déverrouiller la porte !

Elle lève la tête vers la classe, furibonde[8] :

— L'un de vous me l'a pris pour faire une mauvaise blague !

Les enfants deviennent pâles et Nat sent son cœur s'affoler : il n'avait pas prévu cela ! Elle va fouiller dans tous les bureaux des enfants, et quand elle arrivera au fond de la classe, elle le verra caché derrière la bibliothèque, et là... Mais l'un des garçons a la vivacité d'esprit de dire :

— Mais ça ne peut pas être l'un de nous, madame Wenham ! Nous sommes entrés dans la classe après vous ! Vous nous auriez vus le prendre !

Madame Wenham se renfrogne[9] et se contente de répéter :

— Certes... Certes...

Puis, exaspérée, elle lève les bras en clamant :

— Bon, tant pis ! Il n'y aura pas d'informations sur la date d'aujourd'hui ! Sortez donc vos cahiers de mathématiques.

---

8. Furieuse.

9. Prend un air mécontent.

Nat attend avec angoisse : est-ce que les élèves vont suivre le plan ? Avec soulagement, il entend un garçon dire :

— Mais, madame Wenham, vous pouvez quand même nous apprendre des choses sur la date d'aujourd'hui, non ?

— À moins que, sans votre livre, vous ne sachiez rien, ajoute Mimi.

Madame Wenham cligne des yeux, prise au dépourvu, puis, touchée dans son orgueil[10], elle relève le menton :

— Il n'y a que ceux qui apprennent mal qui ont besoin de livres pour se rappeler les choses importantes ! Je peux certes vous donner certaines informations sur la journée d'aujourd'hui sans mon bouquin !

Nat se demande si elle peut vraiment se rappeler tout ce qu'il y a dans son livre. Madame Wenham fait quelques pas devant la classe en clamant avec fierté :

— Le 5 novembre est le quatorzième jour du Scorpion dans l'astrologie. Les saints reliés à cette journée sont Bertille, Lié et Sylvie.

Sans bruit, malgré le fait qu'il soit tout recroquevillé derrière la bibliothèque, Nat réussit à consulter le livre à la page du 5 novembre : l'enseignante a

---

10. Amour-propre, estime de soi.

raison. Toutes ces informations sont écrites dans le *Calendrier encyclopédique.*

— Autre chose ? demande alors une fillette.

Nat approuve en silence : parfait, il ne faut pas la lâcher. Mais loin d'être prise au dépourvu, madame Wenham, les mains croisées dans le dos, poursuit sans hésitation :

— Bien sûr. Le 5 novembre 2006, Saddam Hussein a été condamné par le tribunal spécial irakien.

Nat vérifie : elle a encore raison ! Il commence à se mordiller les lèvres. Il faut que les élèves continuent de la questionner ! L'un des garçons, au milieu de la classe, demande d'une voix naturelle :

— C'est intéressant, madame Wenham. Quoi d'autre ?

— Ma foi, vous êtes avides de connaissances[11], aujourd'hui ! s'étonne la femme. Eh bien, je pourrais ajouter que c'est le 5 novembre 1968 que Richard Nixon est devenu président des États-Unis.

Nat, le regard fiévreux, lit toujours dans le livre : encore exact ! Son cœur bat de plus en plus vite. Dans la classe, on sent la nervosité grimper de plusieurs échelons. Une élève, sans grande conviction, demande d'une voix tremblante :

— Heu... Autre chose ?

---

11. Curieux.

— Je crois vous avoir appris suffisamment d'événements sur le 5 novembre ! rétorque madame Wenham, de plus en plus en perplexe[12].

Mais elle réfléchit une seconde puis, en haussant les épaules, dit :

— Bon, d'accord, un dernier. Le 5 novembre 1981, le premier ministre du Canada a signé une nouvelle constitution avec toutes les provinces, sauf le Québec. Selon plusieurs experts, c'est une décision que les ministres ont prise pendant la nuit, sans en parler au premier ministre québécois. Vous voyez ? J'ai étudié beaucoup quand j'étais jeune, et aujourd'hui, je ne me trompe jamais ! Voilà, maintenant, on va passer à autre chose.

Nat vérifie à nouveau dans le livre : tout ce qu'a dit l'enseignante est vrai ! Elle ne s'est pas trompée ! Le plan de Nat tombe à l'eau ! Madame Wenham retourne même vers son bureau en ordonnant :

— Sortez vos cahiers de mathématiques, on va s'exercer tous ensemble.

Nat revient au livre et tombe sur une information supplémentaire. La voix tremblante d'espoir, il marmonne vers Jadou, assise près de lui :

— Demande-lui quel est le surnom qu'on a donné à cette nuit dont elle vient de parler ! Demande-le-lui vite !

12. Hésitante, inquiète.

En vitesse, Jadou lance d'une voix exagérément forte :

— Comment on a appelé cette nuit-là, madame ?

Madame Wenham se retourne, les yeux interrogateurs.

— Quoi ? demande-t-elle.

— Il paraît qu'on a donné un nom pour désigner cette nuit avec les ministres qui ont agi dans le dos du Québec. C'est quoi, ce nom ?

Madame Wenham entrouvre la bouche, estomaquée[13]. Elle fait quelques pas et marmonne :

— Comment tu sais ça ?

— Heu... J'ai déjà entendu ma mère en parler, mais je ne me souviens plus du nom. Vous devez le savoir, vous qui êtes parfaite.

Dans la classe, tout le monde retient son souffle. Nat lui-même est si anxieux[14] que le livre tremble entre ses mains. Madame Wenham, elle, est tout à fait désorientée. Elle se frotte les mains nerveusement, s'humecte les lèvres sans cesse et dit :

— C'est terminé maintenant, j'en ai certes assez dit pour aujourd'hui. Sortez vos...

— Donc, vous admettez que vous ne le savez pas ? interrompt Shana d'une voix ferme.

Madame Wenham sursaute comme si on venait de la frapper, à tel point qu'une mèche de ses cheveux se

13. Surprise, stupéfaite.

14. Angoissé.

libère de son chignon. Nat est émerveillé : il sent que, dans la classe, tout le monde a compris ce qui se passe, tous les élèves ont compris qu'ils peuvent *réussir* !

— Bien sûr, que je le sais ! réplique l'enseignante.

— Eh bien, dites-le-nous ! persiste une fillette.

Madame Wenham se frotte maintenant les mains avec frénésie et tous les enfants sont émerveillés de voir sur le visage de leur professeur une expression qu'ils ne lui ont jamais vue : de l'affolement. La voix chevrotante[15], elle articule :

— La nuit de... La nuit des...

Nat halète littéralement. Il ne faut pas qu'elle trouve la réponse, il ne faut pas ! Madame Wenham finit par lâcher :

— La nuit des épées !

— Erreur ! s'écrie Nat, si emporté par le triomphe qu'il surgit d'un bond de sa cachette.

Madame Wenham sursaute à nouveau. Son chignon est maintenant à moitié défait et elle ouvre tout grand la bouche, comme un poisson hors de l'eau. Elle finit par demander, confuse :

— Mais... Mais qui es-tu, toi ? Que fais-tu dans ma classe ?

Soudain, elle le reconnaît :

— Mais... tu es le frère de Rom ! C'est toi qui es entré dans ma classe, l'autre jour, pendant le test oral de ta sœur ! Que veux-tu, encore ?

---

15. Tremblante.

Nat, le *Calendrier encyclopédique* entre les mains, clame victorieusement :

— Ce n'est pas « la nuit des épées », mais « la nuit des longs couteaux » ! C'est écrit ici !

— Je... C'est une simple petite erreur ! proteste l'enseignante.

— Écrire « boulot » au lieu de « bouleau », c'était juste une simple petite erreur aussi ! continue Nat sans cesser d'avancer. Mélanger Champlain et Cartier, ce n'étaient pas de grosses erreurs non plus ! Et avoir de la difficulté en mathématiques, ça arrive à plein de monde ! Mais ça ne vous a pas empêchée de punir ces élèves de façon injuste ! Alors, ça ne-ne-ne-ne nous empêchera pas de-de-de...

Il se calme, prend une grande respiration et répète sans bégayer :

— Ça ne nous empêchera pas de vous punir vous aussi !

— Ça suffit, fait madame Wenham en marchant vers Nat, ses cheveux en désordre. Je vais te sortir d'ici, petit insolent !

Nat laisse tomber le livre, prend les lunettes dans sa poche et les brandit devant lui. L'enseignante cesse aussitôt de marcher, comme si une main invisible l'avait arrêtée.

— Mes lunettes !

— Oui, vos lunettes qui vous servent à lancer vos maléfices sur vos pauvres élèves ! C'est moi qui les ai, maintenant !

Madame Wenham recule, déconfite[16], sous les regards triomphants des élèves. Nat, qui avance toujours, est maintenant devant la classe, tout près de l'enseignante. Il poursuit :

— Vous allez maintenant goûter à votre propre médecine !

Il enfile les lunettes et, tout en fixant le professeur, répète la bonne réponse, comme madame Wenham le faisait elle-même avec les autres élèves quand ils se trompaient :

— La vraie réponse était « la nuit des longs couteaux » !

Madame Wenham adopte alors la dernière réaction à laquelle Nat aurait pu s'attendre : elle ricane ! Un ricanement vraiment amusé, et, avec ses mèches de cheveux roux qui lacèrent son visage, elle ressemble maintenant vraiment à une sorcière, une sorcière qui a repris le contrôle de la situation. Dans la classe, tout le monde se met à trembler derrière les pupitres.

— Tu crois que les lunettes seules sont suffisantes pour jeter le sort ? croasse la femme.

16. Déconcertée, désemparée.

Nat ne sait que dire, confus. C'est maintenant madame Wenham qui avance vers lui, un terrible rictus déformant sa bouche. Elle poursuit :

— Les lunettes sont magiques, certes, mais elles ne fonctionnent qu'avec une sorcière ou un sorcier ! Elles n'ont aucun pouvoir si elles sont sur le nez d'un minable humain normal !

D'un geste vif, elle arrache les lunettes du visage de Nat, ce qui déclenche plusieurs cris de stupeur dans la classe. Nat recule vers le mur, la respiration rapide. Madame Wenham enfile les lunettes et clame, avec un épouvantable sourire :

— Maintenant, je vais te réduire en miettes, petit trouble-fête !

Tout à coup, Nat attrape le miroir accroché sur le mur et le tourne vers l'enseignante. Celle-ci aperçoit son reflet dans la glace tandis que Nat s'écrie d'une voix forte, sans bégayer :

— La bonne réponse était « la nuit des longs couteaux » ! La nuit des longs couteaux !

La sorcière, paralysée de surprise, fixe ses propres lunettes magiques dans le miroir, sur son visage *à elle*. Les élèves dans la classe, soudain remplis d'espoir, se mettent tous à répéter d'une voix forte :

— La nuit des longs couteaux ! Des longs couteaux ! Des longs couteaux !

Un éclair lumineux traverse les lunettes. En voyant cette lueur, madame Wenham pousse un couinement[17] et sur son visage apparaît la plus grande des terreurs.

— Ho ! non ! marmonne-t-elle. Ho ! non, non, non !

Elle tourne les talons, se précipite vers la porte et sort en courant.

— Suivons-la ! s'écrie Nat.

En poussant des cris de guerre, tous les enfants se lèvent et sortent du local à toutes jambes.

Madame Wenham, elle, a déjà descendu l'escalier et court maintenant dans le couloir principal vers la sortie. En passant devant la cafétéria, elle est si pressée qu'elle ne voit pas la cuisinière qui transporte une grande caisse. Les deux femmes se percutent et la cuisinière en échappe son fardeau.

— Attention, madame ! crie-t-elle.

Madame Wenham a tout juste le temps de faire un bond de côté avant que la boîte de bois ne s'écrase sur le sol à quelques centimètres de ses pieds. La caisse craque, s'ouvre et des centaines de couteaux de cuisine se répandent sur le plancher.

— Mes couteaux tout neufs ! se plaint la cuisinière.

Madame Wenham, les cheveux maintenant tout défaits, les yeux hagards derrière ses lunettes, fixe les couteaux avec terreur.

— Des couteaux, marmonne-t-elle. Des longs couteaux...

17. Cri aigu.

Elle entend les enfants, derrière elle, qui approchent en criant. Elle se remet donc à courir, atteint la porte et sort dans la cour. Mais dans sa hâte, elle ne voit pas le concierge et s'arrête juste avant de trébucher contre lui. Le concierge, penché sur la glace qu'il casse avec son couteau, lève la tête, étonné :

— Vous avez l'air pressée, madame Wenham...

L'enseignante, le souffle court, aperçoit le couteau dans la main du concierge... Encore un couteau, des couteaux partout !

En poussant un hurlement d'épouvante, elle se remet à courir, tandis que les vingt-quatre élèves, Nat en tête, envahissent la cour et poursuivent l'enseignante, sous le regard ahuri du concierge. Mais madame Wenham a déjà atteint sa voiture. Elle s'y engouffre, met le moteur en marche et démarre à toute vitesse. L'automobile sort du stationnement et s'engage dans la rue. Les enfants s'arrêtent sur le trottoir et Nat, déçu, s'exclame :

— Elle s'enfuit !

Impuissants, ils observent tous l'automobile descendre la rue Sainte-Anne. Lorsqu'elle atteint la rue de la Rivière, un peu plus loin, elle ne fait aucun arrêt et commence à tourner sur elle-même. Mais au même moment, un camion qui arrive dans l'autre direction apparaît, roulant à toute allure. Il tente de freiner, mais trop tard : il atteint la voiture de madame

Wenham de plein fouet, avec une telle violence que l'automobile dérape vers l'accotement, puis dégringole le ravin vers la rivière, disparaissant ainsi de la vue des enfants stupéfaits.

— Allons voir ! crie Nat.

— Mais qu'est-ce que vous faites, dehors ?

C'est la directrice qui est sortie et qui ne comprend plus rien. Elle observe les enfants, stupéfaite.

— Et tous sans manteau, dans un tel froid ! Que se passe-t-il ?

Nat invente une histoire aussitôt :

— C'est madame Wenham ! Elle a perdu la tête, on ne sait pas pourquoi ! Elle s'est sauvée en voiture et vient d'avoir un accident !

Tous les enfants approuvent.

— Mon Dieu ! fait la directrice. Je vais appeler la police !

Et elle retourne dans l'école. Aussitôt, les enfants courent vers l'intersection. Ils se rendent jusqu'au ravin et regardent vers la rivière, une dizaine de mètres plus bas. L'eau bouillonne encore, mais on ne voit plus la voiture, déjà au fond de la rivière. Tous les enfants, tremblant de froid, observent la surface de l'onde, s'attendant à voir la sorcière remonter à la surface.

— Là ! s'exclame Jadou. Quelque chose flotte !

Tous plissent les yeux pour mieux voir. En effet, un petit objet métallique bouge à la surface de l'eau.

Ce sont les lunettes de madame Wenham.

—Mon Dieu, c'est épouvantable ! fait une voix derrière les enfants.

Tous se retournent : c'est le chauffeur du camion qui s'approche, bouleversé.

—Elle n'a pas fait son stop ! explique-t-il, en état de choc. J'ai voulu arrêter, mais... il était trop tard !

Nat regarde vers le camion et reconnaît le véhicule : c'est le gros camion qui roule toujours trop vite dans les rues de la ville.

Le gros camion sur lequel on peut lire : « *Coutellerie Lelong: les meilleurs couteaux en ville !* »

Épilogue

—Nous avons raconté au directeur et aux policiers que madame Wenham avait eu une crise de délire, sans qu'on sache pourquoi, explique Nat. Tout le monde dans la classe a respecté cette version et personne ne dira jamais la vérité. C'est mieux comme ça.

Dans son lit d'hôpital, assise contre son oreiller, Rom hoche la tête avec satisfaction. Papa Pat et Mère Sof sont en bas, à la cafétéria, et Nat en a profité pour tout raconter à sa sœur.

—Et madame Wenham ? demande la fillette.

—Les policiers ont retrouvé sa voiture au fond de la rivière, mais pas son corps. Ils croient que le courant l'a emporté plus loin et qu'on ne le retrouvera jamais.

—Tu crois qu'elle est morte ?

—Peut-être que oui. Ou peut-être qu'elle s'en est sortie grâce à une formule magique... Comment savoir ? En tout cas, je ne crois pas qu'on va la revoir.

Rom hoche la tête, puis a un large sourire :

—Bravo, Nat. Tu as tout réglé tout seul !

—Non, pas tout seul, fait Nat en s'assoyant. Tout le monde dans ta classe m'a aidé. Sans eux, je n'aurais jamais été capable. Et sans toi non plus : tu m'as expliqué beaucoup de choses sur madame Wenham : son *Calendrier encyclopédique*, ses lunettes...

Il fait un clin d'œil :

—On a fait un travail d'équipe, la sœur.

Rom lui renvoie son clin d'œil :

—Un *vrai* travail d'équipe, le frère.

Mais son visage se teinte tout à coup de tristesse :

—Je retourne à l'école demain et j'ai peur que mes amies ne veuillent plus me voir. J'ai été tellement prétentieuse et désagréable, la semaine passée...

—À ta place, je ne m'inquiéterais pas trop, dit Nat avec un air amusé.

Là-dessus, quatre enfants entrent dans la chambre et, stupéfaite, Rom reconnaît Aria, Jadou, Juliette et même Anne-Lo, qui est en béquilles. Et, plus extraordinaire encore, madame Laura est avec elles, toute souriante !

—Salut, Rom ! fait Aria.

—On est venues voir comment tu vas ! poursuit Anne-Lo.

—On a hâte que tu reviennes à l'école, ajoute Juliette.

Elles s'approchent toutes les cinq du lit et Rom est si contente de les voir qu'elle en pleure presque de joie. Elles se font des accolades, puis Jadou demande :

— Tu t'es blessée au pied, il paraît ?

— Raconte-nous ça, fait madame Laura.

Rom est sur le point de parler, mais elle hésite, comme si elle songeait à quelque chose, puis, doucement, elle rétorque :

— Non... J'ai assez parlé de moi, ces derniers temps. Parlez-moi de vous autres, à la place. J'ai envie de vous écouter. Vous, madame Laura, votre accident de voiture, ça n'a pas été trop grave ? Et allez vous revenir à l'école bientôt ? On s'ennuie tellement de vous !

Et pendant que madame Laura raconte son accident, Rom tourne la tête vers Nat. Le frère et la sœur se sourient avec complicité.

* * *

C'est la nuit. Près du pont de la ville, à environ deux kilomètres de l'école, la rivière est calme et totalement noire sous le ciel sans lune.

Tout à coup, près du bord, une main surgit de l'eau glaciale et agrippe avec force les herbes froides. Lentement, très lentement, un corps s'élève et grimpe sur la berge, dégoulinant d'eau gluante. Il fait trop noir pour qu'on distingue ses traits, mais au centre du visage ténébreux, deux yeux flamboyants se tournent vers la route qui mène à l'école.

FIN

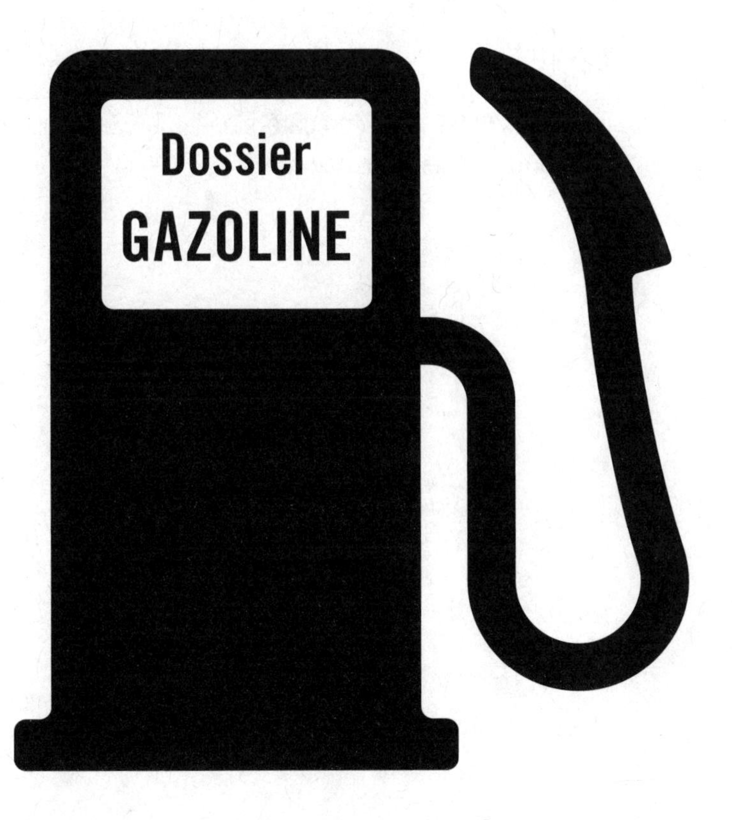
Dossier
GAZOLINE

Le dossier **GAZOLINE** a été préparé par Patrick Senécal, Michel Therrien et Jennifer Tremblay.

Dossier
GAZOLINE

Regardons cette couverture de plus près...

La création d'une première de couverture[1] est une étape très importante dans le processus[2] de publication d'un livre. Une couverture ratée peut facilement tuer l'intérêt des lecteurs pour le roman le plus passionnant du monde ! C'est pour cette raison que les éditeurs accordent énormément d'attention à la combinaison de plusieurs éléments : le choix du titre, la disposition du titre et du nom de l'auteur, la typographie[3], l'illustration, le message général exprimé par l'ensemble de ces aspects.

Quand vient le temps de créer l'illustration de la couverture d'un livre, plusieurs membres de l'équipe des Éditions de la Bagnole apportent leur précieuse contribution. Pour vous donner une idée de la façon dont chacun s'implique, prenons le cas de la préparation de la couverture de *Madame Wenham*. Voici comment cela s'est passé :

1. Dans le monde de l'édition, on appelle première de couverture la partie sur laquelle on trouve le titre, le nom de l'auteur et l'illustration. On appelle quatrième de couverture la partie arrière, soit celle où on trouve généralement le résumé et quelques informations techniques.
2. Suite de démarches et d'étapes de fabrication.
3. Caractères, formes des lettres.

1) Patrick (écrivain) a dit à Jennifer (éditrice) qu'il préférait qu'on ne voie jamais le visage du méchant personnage sur la couverture de ses livres.
2) Jennifer a rapporté à André (graphiste) que Patrick ne voulait pas qu'on voie le visage de madame Wenham, que les jeunes lecteurs devraient imaginer eux-mêmes.
3) Andrée a lu attentivement le manuscrit de Patrick avant de réaliser la couverture. Cette lecture lui a surtout permis de saisir l'ÉMOTION qu'elle devait transmettre au lecteur pour que celui-ci comprenne instinctivement[4] à quel genre de roman il doit s'attendre, soit un roman d'épouvante.
4) Andrée a ajouté le logo GAZOLINE dans le coin, à gauche. Elle a écrit le nom de l'auteur en haut de l'image pour que les lecteurs qui aiment les romans de Patrick Senécal voient tout de suite son nom sur la couverture. Ensuite, elle a cherché une police de caractères pour écrire le titre. Il existe des milliers de fontes ! Il faut parfois chercher longtemps avant de trouver la typographie qui s'harmonise à une illustration et au sujet d'un livre. La police de caractères choisie par Andrée rappelle celle qui est souvent utilisée dans les titres de films d'épouvante.

Oui, vraiment, ce fut un beau travail d'équipe ! Merci tout le monde !

J.T.
M.T.

4. Sans y réfléchir.

L'opinion de l'écrivain : « La perfection est impossible ! »

Les romanciers nous font part, par l'entremise de personnages et d'histoires fictifs, de ce qui est important pour eux, de leurs sentiments, de leurs impressions, de leurs opinions sur la politique, la religion, l'éducation, bref sur n'importe quel sujet qui les intéresse.

Patrick Senécal exprime dans ses romans ce qu'il pense de certains comportements humains. Il invente des personnages méchants et fait en sorte qu'ils subissent les conséquences des actes qu'ils posent. Le romancier met aussi en scène des personnages qui font preuve de générosité, de gentillesse, d'intelligence, et qui récoltent de bien meilleurs résultats : ils atteignent leurs buts de façon honorable et héroïque !

Prenons pour exemple les agissements[5] de Rom et Nat au tout début du roman... Ils ont perdu leur redoutable complicité. Chacun veut être meilleur que l'autre. Et chacun est prêt à tout pour cela. Le succès que Rom et Nat ont

5. Comportements critiquables.

connu à la suite de leur première aventure leur a monté à la tête. Résultat : leur entourage a de plus en plus de mal à les supporter. Leurs parents sont exaspérés, leurs amis les fuient. Ce n'est qu'après avoir eu un comportement d'une méchanceté inégalée – Nat donne une mauvaise réponse à Rom et cela va mettre la jeune fille dans une dangereuse situation – que le garçon se ressaisit et tente de récupérer la situation. Il reconquiert ainsi l'estime de sa sœur et de ses amis.

Madame Wenham a des intentions en apparence louables[1] : elle veut apprendre le plus de choses possible à ses élèves. Elle est appliquée et disciplinée puisqu'elle organise l'horaire de la classe avec énormément de rigueur. Tous ses gestes sont parfaitement réglés. Cependant on décèle rapidement qu'elle est dangereuse. Qu'est-ce qui nous laisse croire cela ? Elle exige l'impossible ! Elle exige la perfection ! Rien de moins ! Et ses exigences terrorisent ses élèves : au lieu d'être stimulés, ils sont tétanisés[2] par leur nouveau professeur. Quelqu'un qui a la conviction que la perfection est possible et qu'elle doit être atteinte à n'importe quel prix a de quoi nous inquiéter. Notre inquiétude est fondée : madame Wenham jette des sorts terribles aux élèves qui commettent la moindre erreur.

Il est évident que Patrick Senécal n'est pas d'accord avec la façon de voir les choses de madame Wenham : si tel

1. Dignes, estimables.
2. Paralysés.

n'était pas le cas, il n'aurait pas jeté la pauvre femme à la rivière !

Nous pouvons même supposer, sans trop de risque de nous tromper, que Patrick Senécal a imaginé ce genre de personnage pour nous faire part d'une opinion très précise. On a l'impression que le romancier est en train de nous dire : « Quelle folie que de vouloir être parfait ! De vouloir tout réussir parfaitement ! L'important, c'est de faire son possible, de travailler fort, et d'être fier des progrès que l'on fait chaque jour ! Les gens trop perfectionnistes méritent un bon bain froid ! Tiens, je vais vous donner un exemple du genre de problèmes qu'on a quand on exige trop des autres ! »

Le bain froid de madame Wenham va-t-il avoir un effet positif sur elle et la ramener sur le droit chemin ? Une transformation du personnage est-elle possible ? Qu'en pensez-vous ?

J.T.

Si Madame Wenham était au cinéma

La plupart des romans de Patrick Senécal ont été portés à l'écran, c'est-à-dire qu'on en a fait des films. Cela t'est sûrement déjà arrivé de lire un livre, puis d'aller voir le film qu'on avait réalisé à partir du livre. On se rend vite compte qu'un roman et son film sont deux œuvres très différentes !

La première étape de création d'un film à partir d'un roman s'appelle la SCÉNARISATION. Cette étape est réalisée par un SCÉNARISTE, qui écrit un SCÉNARIO à partir des scènes qui se déroulent dans le roman.

Le scénario est un document qui contient toutes les informations nécessaires à l'équipe de réalisation : les dialogues entre les personnages, les actions des personnages, les lieux où se déroulent les différentes scènes, etc.

Patrick Senécal, en plus d'être romancier, pratique le métier de scénariste. Comme il a beaucoup d'expérience, nous lui avons demandé de scénariser une scène de *Madame Wenham*, exactement comme si nous allions tourner un film.

Lis la scène qu'il a écrite à la page suivante, puis retourne lire la même scène dans le roman aux pages 99 à 104. Quelles différences remarques-tu entre les deux documents ?

Le scénario est un document TECHNIQUE. Le scénariste ne cherche pas à rendre la lecture agréable, à faire de jolies phrases, à diversifier son vocabulaire : il veut seulement se faire comprendre du réalisateur ! Alors il décrit l'action de ses personnages avec PRÉCISION et CLARTÉ, sans ÉMOTION. De même, les lieux où se déroule l'action, ainsi que le moment du jour où l'action de déroule, sont résumés en haut de la page en quelques mots. Il s'agit presque d'un code ! Ces informations intéressent les décorateurs, les accessoiristes, les machinistes, les éclairagistes, les maquilleurs, bref l'équipe technique du film.

Les dialogues – échanges de paroles entre les personnages – sont facilement repérables dans la mise en page du scénario. C'est la partie qui intéresse les acteurs. Ils doivent apprendre par cœur ces longs paragraphes avant le tournage d'une scène. Ouf !

J.T.

EXT. rue Félix-Jean - après-midi

Rom marche vers la porte de sa maison, furieuse. Nat la suit toujours, suppliant.

NAT

Y a eu trop d'accidents dernièrement, puis je suis sûr qu'il va t'en arriver un à toi aussi !

ROM

Laisse-moi tranquille !

Rom ouvre la porte et lance son sac d'école dans la maison en criant vers l'intérieur :

ROM

P'pa ! J'm'en vais jouer avec mes amies !

Et elle se met en marche vers la rue. Nat la suit.

NAT

Rom, écoute-moi donc !

ROM

Si tu continues à me suivre, j'm'en vais tout raconter à p'pa !

Nat s'arrête, découragé. Rom se remet en marche. Nat laisse tomber son sac d'école sur son terrain et va se cacher derrière la voiture de son père. Rom se retourne et, ne voyant pas...

...Nat, elle continue. Nat la suit en se cachant derrière un buisson, puis un arbre. Rom se retourne une dernière fois, Nat se cache juste à temps. Rom poursuit son chemin vers deux fillettes qui jouent là-bas.

Rom s'approche des fillettes et leur parle. Nat, derrière une autre voiture, les regarde. On n'entend rien, mais les fillettes semblent rejeter Rom qui, triste, poursuit son chemin, la tête basse.

Nat continue de la suivre en se cachant. À un moment, il voit une voiture au loin qui approche vers sa sœur. La peur envahit le visage de Nat. Quand la voiture est tout près de sa sœur, Nat se découvre et lève la main, sur le point de crier pour prévenir sa sœur, mais la voiture passe : il ne s'est rien passé. Nat est soulagé.

Il voit sa sœur poursuivre son chemin dans le nouveau quartier en construction. Nat court vers une boîte aux lettres et se cache derrière. Rom, la tête basse, marche lentement. Autour, il y a de grands terrains vagues, des bulldozers abandonnés, des planches et de la tôle qui traînent un peu partout. Nat se découvre, se met en marche et son pied percute un morceau de tôle. Le bruit fait retourner Rom, qui se fâche en voyant son frère...

NAT

...Rom, il faut que tu reviennes à la maison !

ROM

Va-t'en ! J'veux pas te voir !

Et elle entre sur un terrain en construction et marche entre les planches, voulant s'éloigner de son frère, boudeuse. Nat reste dans la rue et les deux se coupent la parole sans cesse en se criant après. Rom se rend jusqu'au milieu du terrain.

NAT

Il va t'arriver quelque chose, Rom, je suis sûr !

ROM

J't'ai dit de me laisser tranquille !

NAT

Come on, écoute-moi, j'ai vraiment peur !

ROM

J'veux plus te parler ! Jamais !

Nat regarde autour de lui, découragé, et tout à coup ses yeux tombent sur le panneau indicateur de l'intersection : les noms des deux rues sont Cartier et Champlain.

Les yeux de Nat s'emplissent d'épouvante. Il se tourne alors vers sa sœur.

NAT
ROM ! ! ! !

Au même moment, Rom fige net. Puis, elle se met à hurler. Nat ne comprend rien. Rom lève alors son pied droit et une planche est collée sous son pied. Rapide comme l'éclair, Nat court vers sa sœur et au moment où celle-ci va tomber, il la rattrape. Rom crie et pleure. Nat s'agenouille et prend sa sœur contre lui.

NAT
J'suis là, Rom, j'suis là !

Nat voit que deux clous de la planche sont plantés sous le pied de Rom.

NAT
Ho non ! Ho non, ho non, ho non !

Rom pleure de douleur. Nat regarde partout. Il voit un camion passer dans la rue et il se met à lui crier après. Le camion s'arrête. Nat serre sa sœur.

NAT
C'est de ma faute, Rom ! Je m'excuse, c'est de ma faute ! C'est de ma faute !

Le conducteur sort du camion. Rom pleure toujours.

Plan éloigné et aérien où on voit, en petit, le camionneur qui marche vers les deux enfants enlacés.

P.S.

Photo : Karine Patry

Patrick Senécal

Table des matières

DU MÊME AUTEUR AUX ÉDITIONS DE LA BAGNOLE

Sept comme Setteur (Patrick Senécal)

DANS LA MÊME COLLECTION

Le chagrin des étoiles (Sylvain Hotte)
L'écuyer de Valbrume/La nuit des Ogres (Marc Auger)
L'écuyer de Valbrume/Le talisman de Maïra (Marc Auger)
En mer (Bryan Perro)
Guillaume Renaud/Un espion dans Québec (Sonia Marmen)
Guillaume Renaud/Il faut sauver Giffard ! (Sonia Marmen)
Guillaume Renaud/Périls en avril (Sonia Marmen)
Le Jardin des Lions (Laurent Theillet)
Les mains dans la gravelle (Simon Boulerice)
Minus Circus (Laurent Theillet)

La collection GAZOLINE encourage les auteurs à s'adresser très librement aux jeunes lecteurs. C'est pourquoi le style, le niveau de difficulté et le nombre de pages peuvent varier d'un roman à l'autre :

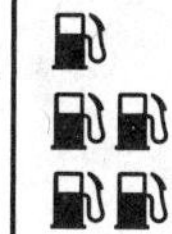

initiation

lecteur expérimenté

lecteur audacieux.

leseditionsdelabagnole.com

DISTRIBUTION EN AMÉRIQUE DU NORD
Canada et États-Unis:
Messageries ADP*
2315, rue de la Province
Longueuil (Québec) J4G 1G4
Pour les commandes: 450 640-1237
messageries-adp.com
*Filiale du groupe Sogides inc.;
filiale de Quebecor Media inc.

DISTRIBUTION EN EUROPE
France:
INTERFORUM EDITIS
Immeuble Paryseine
3, Allée de la Seine
94854 Ivry-sur-Seine Cedex
Pour les commandes: 02.38.32.71.00
interforum.fr

Belgique:
INTERFORUM BENELUX SA
Fond Jean-Pâques, 6
1348 Louvain-La-Neuve
Pour les commandes: 010.420.310
interforum.be

Suisse:
INTERFORUM SUISSE
Route A.-Piller, 33 A
CP 1574
1701 Fribourg
Pour les commandes: 026.467.54.66
interforumsuisse.ch